Amy

Signor March

Hannah

Geronimo Stilton

Piccole Donne Crescono

Cari amici roditori,

dovete sapere che la mia passione per la lettura è comincia-
ta tanto tempo fa, quando ero ancora piccolo. Passavo ore e
ore a leggere romanzi bellissimi, che mi hanno fatto vivere
fantastiche avventure e conoscere luoghi lontani e misterio-
si. È proprio vero che leggere mette le ali alla fantasia!

Così ho pensato di regalare anche a voi le stesse emozioni che ho provato io anni fa, raccontandovi i capolavori della letteratura per ragazzi.

Le sorelle March sono cresciute ed è tempo per ciascuna di trovare la propria strada. Il mondo al di là della loro casa è vasto e ci sono tante nuove emozioni da scoprire! Le difficoltà non mancheranno, ma Jo, Amy, Beth e Meg sapranno affrontarle, grazie al profondo sentimento che le lega e all'affetto di tanti amici!

Geronimo Stilton

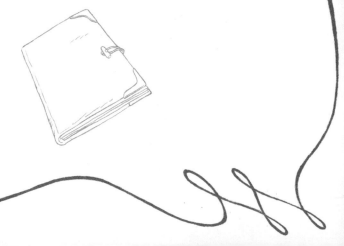

Testo originale di Louisa May Alcott, *liberamente adattato da* Geronimo Stilton.
Coordinamento di Patrizia Puricelli, *con la collaborazione di* Benedetta Biasi *e* Maria Ballarotti *(testi)*, Roberta Bianchi *(disegni)*.
Collaborazione editoriale di Annalisa Strada.
Coordinamento testi di Sarah Rossi.
Editing di Red Whale *di* Katja Centomo *e* Francesco Artibani.
Direzione editing di Flavia Barelli.
Coordinamento di Erika Centomo - *Supervisione di* Mariantonia Cambareri.
Cover di Flavio Ferron.
Disegni di riferimento di Roberta Tedeschi *e* Nicola Pasquetto.
Illustratori: Francesco Bisaro, Silvio Camboni, Danilo Loizedda, Roberta Tedeschi *e* Luca Usai.
Inchiostratori: Silvio Camboni, Michela Frare, Danilo Loizedda, Sonia Matrone *e* Luca Usai.
Coloristi: Giorgia Arena, Cecilia Giumento, Edwyn Nori *e* Nicola Pasquetto.
Grafica di Superpao. *Con la collaborazione di* Michela Battaglin.

Da un'idea di Elisabetta Dami.

www.geronimostilton.com

I Edizione 2010
© 2010 - EDIZIONI PIEMME S.p.A.
20145 Milano - via Tiziano, 32
info@edizpiemme.it
International rights © ATLANTYCA S.p.A.
Via Leopardi, 8 - 20123 Milan - Italy
www.atlantyca.com - contact: foreignrights@atlantyca.it

Stilton è il nome di un famoso formaggio prodotto in Inghilterra dalla fine del 17° secolo. Il nome Stilton è un marchio registrato. Stilton è il formaggio preferito da Geronimo Stilton. Per maggiori informazioni sul formaggio Stilton visitate il sito www.stiltoncheese.com

Stampa: Mondadori Printing S.p.A. - Stabilimento di Verona

Geronimo Stilton

Piccole Donne Crescono

PIEMME Junior

Casa March

I March vivevano in una casetta circondata da un GIARDINO ben curato, specchio dell'armonia che si respirava in famiglia. Anche se non sempre la loro vita poteva dirsi rose e *fiori*.

Tre anni prima dell'inizio di questa storia, infatti, il signor March era dovuto partire per la guerra e le cinque donne di casa, la signora March e le quattro giovani *figlie*, si erano ritrovate all'improvviso con il capofamiglia lontano e tanti problemi da affrontare da sole giorno per giorno.

Per F❋RTUNA, in quell'occasione le sorelle March si erano rimboccate le maniche per aiutare la famiglia, fino al ritorno del padre. Meg, la maggiore e la più responsabile, aveva lavorato senza risparmiarsi ed era stata premiata con l'**am♥re** di John Brooke, il giovane istitutore del vicino di casa March.

Jo, il MASCHIACCIO di casa, si era dimostrata generosa e combattiva e aveva tanto faticato, senza mai trascurare la sua grande *passione* per la scrittura.

La piccola Amy, graziosa e un po' vanitosa, aveva smesso di andare a scuola per aiutare in casa ed esercitarsi nel disegno.

La dolce e mite Beth, che tempo prima era stata costretta a letto da una **PERICOLOSA** malattia, amava stare in casa e aiutare la mamma nei piccoli lavori quotidiani. La salute di Beth era sempre cagionevole, ma l'amore delle sue sorelle era per lei la cura migliore.

E non si può scordare Laurie Laurence, il giovane vicino di casa! Laurie era andato a studiare in un college *prestigioso* ed era diventato un giovanotto dalla proverbiale VIVACITÀ. Ma non aveva mai smesso di pensare al nonno, che lo aveva cresciuto e viveva per lui, e alle sue adorate vicine.

La storia delle piccole donne March riprende dunque in un momento di serenità e di FERVENTI preparativi, a pochi giorni dal matrimonio di Meg.

Tutta la famiglia era in fermento...

Meg era alle prese con l'organizzazione della casa in cui lei e John sarebbero andati a vivere. Ormai era diventata una vera padrona di casa; un po' le spiaceva doversi accontentare

di una dimora così piccola, specie quando pensava alla sua amica Sallie Gardiner e al suo matrimonio con il ricchissimo Ned Moffat... Ma insomma, era solo un pensiero. Quando la ragazza si sedeva sotto il pergolato con John a chiacchierare del **FUTURO**, ogni rammarico scompariva: *la sua era vera felicità!*

Jo aveva smesso di lavorare per zia March, che ora preferiva di gran lunga la compagnia di Amy.

A dire il vero, la zia aveva sempre avuto da ridire sul carattere di Jo, un po' troppo **BRUSCO** per i suoi gusti...

Da parte sua, Amy aveva accettato di recarsi ogni giorno a casa della scorbutica zia: in cambio, la zia aveva deciso di iscrivere la nipote a una scuola di belle arti.

Così ora Jo aveva tutto il tempo di dedicarsi a Beth, ancora debole dopo la **TERRIBILE** malattia che l'aveva costretta a letto per molte settimane.

Nei momenti liberi, Jo continuava a coltivare la *scrittura,* dando forma a **NUOVI** racconti per la rivista *L'Aquila.*

Tutto insomma procedeva per il meglio, quando iniziarono nuove **AVVENTURE** per le piccole donne di casa March.

Il nido
di Meg

La nuova casetta di Meg e John era una dimora MODESTA disposta su due piani, con un delizioso giardinetto sul retro e un fazzoletto di verde davanti. Meg, però, riuscì a TRASFORMARLA in una vera reggia, grazie anche all'aiuto delle sorelle. In soggiorno e in camera da letto, Amy aveva fissato con un *fiocco* le tende, drappeggiate con tanta arte che un *maestro* tappezziere non avrebbe saputo fare di meglio. Jo, di solito la più **disordinata** del gruppo, aveva sistemato la biancheria nel guardaroba con

tanta cura che persino la signora March si era complimentata con lei.

Hannah, la governante di casa March, si era occupata della CUCINA e persino Laurie cercava di dare il suo contributo... ehm, a suo modo! Ogni volta che tornava a casa dal college, infatti, il ragazzo portava sempre a Meg qualche regalino, che lui definiva 'assolutamente indispensabile': piccole statue dalle forme strane, grattugie speciali per la noce moscata, saponi profumati che non lavavano niente e tanti altri oggetti bizzarri, ma decisamente... INSERVIBILI!

Così, grazie all'amore delle sorelle e al contributo di Laurie, il giorno prima del matrimonio la casetta di Meg e John era perfettamente sistemata: era davvero *adorabile*!

La signora March si fermò a **lungo** davanti all'ingresso, sospirando commossa: Meg era la prima delle figlie ad andare via di casa per dare vita a una nuova *famiglia*.

Le piccole donne March stavano proprio CRESCENDO!

Perché le cose devono cambiare?

Nella **baraonda** dei preparativi per il pranzo di nozze, Jo e Laurie riuscirono a ritagliarsi un momento per chiacchierare degli ultimi avvenimenti. Jo aveva avuto qualche DIFFICOLTÀ ad accettare il matrimonio della sorella: in fondo, perché Meg non poteva restare per sempre con loro? Stavano così **bene** tutte insieme! Ma poi, a poco a poco, aveva capito che ciascuna di loro, presto o tardi, avrebbe dovuto prendere la sua STRADA.

Così, la sera prima delle nozze, Jo era serena

e pronta a **scherzare** come
al solito: – Mi raccomando,
Laurie, domani ricordati di
non **GUARDARE** troppo
verso di me: non voglio scoppiare a ridere nel bel mezzo
della cerimonia!

Laurie, che conosceva molto bene l'amica, la
guardò dubbioso: – Mm... Non è che hai
PAURA di scoppiare in lacrime, invece?!
– Come no! – ridacchiò Jo. – Mi metterò a
piangere come una *FONTANA* e annaffierò
tutti gli invitati della prima fila!
I due amici risero di gusto. Poi parlarono di
un amico di Laurie, un certo Parker, che sembrava essersi *innamorato*♡ di Amy.
Jo sospirò: – Io, con il caratteraccio che mi
ritrovo, di sicuro non avrò mai corteggiatori!

Laurie le **sorrise** incoraggiante: – Non sai quanti ti farebbero la corte, se solo tu fossi un po' meno **BRUSCA**...

Jo sghignazzò: – Ma io ho sempre troppe cose per la testa! E poi, se qualcuno mi dichiarasse il suo **am♥re** non saprei neppure che cosa rispondere!

Laurie di colpo divenne serio e sembrò sul punto di dire qualcosa, ma poi si trattenne.

Jo lo **OSSERVÒ** per qualche istante, con aria interrogativa: chissà che cosa gli stava passando per la testa...

Viva gli sposi!

Il matrimonio di Meg si celebrò in una splendida giornata di **sole**. Meg indossava un abito semplice, che aveva cucito lei stessa, abbellito con *mughetti* freschi.

Jo, Beth e Amy erano le damigelle d'onore e l'accompagnavano portando mazzolini di *fiori* di campo: erano emozionatissime!

Il signor March, che era anche il pastore della comunità, celebrò il matrimonio della figlia nel **GIARDINO** della propria casa.

L'unica ad avere qualcosa da ridire fu zia March, che aveva sperato in una cerimonia sfarzosa e invece si ritrovò con le eleganti scarpette imbrattate di TERRA ed erba.

– Capirai che eleganza! – borbottava l'anziana signora di tanto in tanto.

Era stata invitata anche Sally Moffat, che non riuscì a trattenere una punta d'invidia nel vedere Meg così *felice*, pur non avendo potuto permettersi un matrimonio in pompa magna...

Laurie arrivò accompagnato dal nonno. Appena il signor March ebbe cominciato la *celebrazione*, un improvviso silenzio scese sul giardino.

Quando gli sposi si scambiarono gli anelli, il giardino di casa March fu un tripudio di baci, abbracci e felicitazioni.

A quel punto persino la vecchia zia March,
senza farsi notare, dovette asciugarsi qualche
lacrima di COMMOZIONE!
Il pranzo fu presto servito, Hannah portò la
torta nuziale, e subito dopo tutti i partecipan-
ti si diedero alle **DANZE**.
Così casa March salutò la piccola grande Meg
e la lasciò andare. E quella notte Jo, Beth e
Amy si strinsero forte l'una all'altra e chiacchierarono fino all'ALBA della felicità di
Meg e di tutte le cose buffe accadute
quel giorno.

Artista all'opera!

I giorni passarono e casa March venne messa a soqquadro. Dopo appena qualche lezione alla scuola di **belle arti**, Amy si sentiva già una vera artista. Sperimentava tutte le tecniche per dimostrare il suo talento e non perdeva occasione per esercitarsi. Risultato? La casa **TRABOCCAVA** di statuine di terracotta dalle forme più strane, acquerelli stesi ad asciuga-

re come fossero PANNI freschi di bucato,
tubetti di colore aperti ovunque e fogli
sparpagliati per tutto il soggiorno.
Via via che imparava nuove tecniche, Amy
mostrava **ORGOGLIOSA** le sue 'creazioni'
a tutta la famiglia. Dalle illustrazioni in bian-
co e nero, che realizzava con un pennino,
passò presto alla pirografia, cioè all'incisione
del legno con ferri **ARROVENTATI** (e in questo Amy era senz'altro brava, ma... c'era il
costante rischio d'incendio!), poi alla pittura
a olio e infine al **carboncino**...
L'impegno non le mancava di certo, ma riuscire a fare tutto bene era davvero difficile!
Così alla fine Amy decise di dedicarsi a un'u-
nica tecnica e scelse di dipingere soltanto
paesaggi dal vero. Non era raro, allora, veder-
la vagare per la **CAMPAGNA**, con il cavalletto

e la scatola dei colori. A seconda della stagione, indossava un cappello per ripararsi dal sole o uno scialle di lana per proteggersi dal **FREDDO**.

La sua tecnica e il suo buon gusto si *affinarono*. La grande ambizione di Amy, però, restava quella di poter entrare nel 'gran mondo' degli *aristocratici*. Era abbastanza saggia da non confondere la ricchezza con i valori veri dell'onestà e dell'intelligenza, ma... quanto avrebbe voluto una c@rr@zz@ e tanti bei vestiti tutti per sé!

Un piccolo disastro

Un giorno Amy prese da parte la mamma, come se dovesse confidarle un gran segreto, e le disse: – Mamma, la *scuola* di belle arti chiuderà per le vacanze estive... e io vorrei tanto invitare le mie compagne qui per una giornata!

La signora March sorrise comprensiva:
– Beh, penso si possa fare **bimba** mia...
Amy esultò, infervorata: – Potremmo pranzare tutte insieme e poi ritrarre i PAESAGGI qui intorno.

Sarebbe un vero ritrovo di artiste!

Però saremmo circa otto e per la passeggiata ci vorrebbe una carrozza spaziosa...
La signora March rifletté: – Ma in questo caso servirebbero parecchi soldi! Non potresti accontentarti di un picnic in giardino e di una passeggiata fino al FIUME?
Amy aggrottò la fronte: – Tu non capisci, MAMMA! Ho risparmiato del denaro che mi ha dato zia March e se non posso organizzare l'incontro come dico, preferisco rinunciare! Mi basterebbe solo un piccolo aiuto da parte tua e delle mie sorelle... È molto **iMPORtante** per me!
La signora March si intenerì: sapeva bene che l'ESPERIENZA è la migliore maestra e decise di lasciare che Amy provasse.
Amy, entusiasta, corse subito a chiedere l'appoggio delle sorelle.

Jo protestò **vivacemente**: – Uff! Ma non ha senso scombussolare la vita di tutti per una festicciola in campagna! Amy, punta sul vivo, **SCATTÒ**: – Non è una *festicciola*! È un incontro tra artiste. E poi è normale desiderare delle buone amicizie... Solo a te piace comportarti in maniera **SGARBATA!**

Le parole di Amy colpirono nel segno e Jo, seppure **sbuffando** e brontolando, si rassegnò a prestare il suo aiuto.

Beth, come sempre, fu subito disponibile ad aiutare in casa.

Meg non fu da meno e mise a disposizione piatti, tazzine, bicchieri e POSATE.

Tutte le amiche di Amy accettarono con gioia.

Purtroppo, però, a volte la buona volontà non basta per far funzionare le cose: serve anche un pizzico di F**RTUNA**... e in quell'occasione la fortuna decisamente mancò.

Il giorno prima della *festicciola*, infatti, per la prima volta in vita sua Hannah bruciò l'arrosto e sbagliò a **CUOCERE** il dolce. Beth si buscò un brutto raffreddore che la mise fuori gioco. Meg ricevette la visita inattesa di alcuni parenti di John e non poté più prestare piatti e posate. Infine Jo, distratta come sempre da mille pensieri, fu più MALDESTRA del solito nelle pulizie di casa. Che disastro!

– Ci manca solo che domani PIOVA! – sospirò la povera Amy.

E neanche a farlo apposta, il mattino successivo il cielo pareva imbizzarrito e alternava squarci di sereno a forti scrosci di pioggia.

A causa del tempo incerto, nessuna delle invitate si presentò.

Amy era così DELUSA e avvilita che la
signora March, non appena il cielo si fu schia-
rito del tutto, la esortò a fare un GIRETTO in
città. Amy accettò di buon grado: almeno il
viaggio l'avrebbe distratta!
Indossò cappellino e mantella e si recò alla
più vicina fermata dell'omnibus.
Una volta in città, però, Amy non resistette
alla tentazione e comprò un bell'assortimento
di FORMAGGI, tutti di ottima qualità ma con
un odore INTENSISSIMO.
Poiché doveva tornare in omnibus e si vergo-
gnava di quell'odore tanto FORTE, Amy
fece avvolgere i formaggi in spessi strati di
carta e li depose in una grossa borsa di tela.
Sull'omnibus sistemò la borsa un po' lontana
dal suo posto, per non far capire che fosse
sua, e si mise a controllare i conti della spesa.

Aveva sprecato un sacco di quattrini!
Era così assorta nei calcoli che non si accorse
che un **NUOVO** passeggero si era seduto
proprio accanto a lei.

– Buongiorno, Amy! Ti ricordi di me? – le chiese.
Amy alzò lo sguardo e
sobbalzò: era un amico
di Laurie! Uno di quei
compagni tanto SNOB che
aveva conosciuto al college...
Amy si irrigidì: forse lui l'aveva vista mentre
controllava i conti della spesa!
Che vergogna!
La ragazza cercò qualcosa da dire, ma proprio in quel momento la borsa dei formaggi, a
causa di uno scossone, si rovesciò sul pavi-
mento dell'omnibus.

L'amico di Laurie storse il naso inorridito:
– Uuugh! Che odore! Ma è roba tua?!
Amy divenne tutta ROSSA, ma decise di comportarsi da vera signora: – Sì. Abbiamo ospiti che amano il formaggio!
Detto ciò, alla prima fermata saltò giù dall'omnibus e si fece a piedi tutta la strada fino a casa!
Nel tardo pomeriggio, finalmente una delle invitate arrivò: era Miss Elliot, la più SIMPATICA di tutte!
Amy accompagnò l'amica ad ammirare tutti i paesaggi che le aveva mostrato dipinti sul suo ALBUM e le due ragazze si divertirono a disegnare sedute sul prato davanti a casa March, fino al TRAMONTO.
La giornata terminò in allegria e spensieratezza e Amy, le sorelle e Miss Elliot fecero una

gran scorpacciata di formaggio: l'odore sarà stato anche fortissimo, ma il sapore era *squisito!*

Quella sera, Amy si scusò con la mamma e le sorelle per avere speso tanto denaro e per avere **scombussolato** tutta la famiglia solo per una festicciola mondana.

Non avrebbe dovuto dare tanta importanza alle **APPARENZE**: se si fosse accontentata di passare un pomeriggio tranquillo con le amiche più simpatiche, invece di pensare solo a fare bella figura, le cose sarebbero andate sicuramente meglio!

Febbre di storie!

Ogni notte, Jo indossava la sua cuffia speciale, andava in soffitta, si metteva alla scrivania e si dedicava a ciò che più amava al mondo: *scrivere!*
Mentre le sue sorelle dormivano e le **OMBRE** circondavano casa March, infatti, mille personaggi, voci e storie prendevano vita attorno a lei.
E Jo scriveva e scriveva, finché il sonno non la costringeva a posare il *pennino* e ad andare a coricarsi sotto le coperte.

Per lei scrivere era come respirare: non poteva farne a meno! Per arricchire le sue conoscenze e stimolare sempre di più l'immaginazione, Jo l e g g e v a moltissimi libri e andava spesso in città ad assistere a conferenze di studiosi.

Un giorno, mentre si trovava a una conferenza sulle piramidi più NOIOSA del solito, Jo si mise a osservare il pubblico. C'erano un paio di signore che lavoravano all'uncinetto, un signore che dormicchiava, una vecchietta che succhiava mentine e due innamorati che si tenevano per mano.

Ma ad attirare l'attenzione di Jo fu soprattutto un giovanotto con la testa sprofondata in una rivista: stava divorando un racconto.

Il ragazzo, accorgendosi di essere osservato,

GUARDÒ Jo sorridendo e le offrì il giornale:
– Vuole leggere? È davvero molto bello!
Jo lesse quel racconto e si scoprì subito rapita
dalla storia: parlava di **am♥re**, avventura e
mistero ed era piena di colpi di scena!
Gli occhi di Jo brillarono per l'emozione:
avrebbe potuto inventare dozzine di storie del
genere! Anzi, *centinaia*!
E c'era un giornale che le pubblicava!
Jo *annotò* subito il nome del giornale, l'indirizzo della redazione e il nome del direttore.
Notò anche che il giornale bandiva un con-
corso per la **MIGLIORE** 'storia sensaziona-
le': il primo premio era di ben cento dollari!
Quella stessa **NOTTE** Jo si mise all'o-
pera: scrisse con fervore fino all'**ALBA** e il
mattino successivo, esausta ma felice, spedì il
racconto all'indirizzo del giornale.

Attese sei **lunghe** settimane, finché un
mattino di sole ricevette la risposta tanto attesa e... aveva vinto il primo premio!
Tutti in *famiglia* si complimentarono con lei
e fecero una grande *festa*.
Solo il signor March, una volta letto il racconto, osservò: – Hai scritto bene, cara... ma
tu puoi fare di meglio!

Jo non replicò nulla: fece invece
tesoro di quel commento e si
ripromise di impegnarsi di più.
Volle poi spendere il piccolo patri-
monio che aveva vinto per mandare
Beth e la MAMMA al mare.
Il pensiero di poter fare altri regali alle persone che amava spinse Jo a scrivere sempre di
più... e più scriveva, più pubblicava!
E Jo non scriveva soltanto racconti: aveva in

CANTIERE anche un vero romanzo, a cui lavorò alacremente per giorni e notti.

Quando finalmente un editore accettò di pubblicarlo, però, il libro non ottenne il successo sperato: i critici furono anzi SEVErissimi e sottolinearono tutti i difetti del suo lavoro.

Jo se la prese un po', ma la signora March seppe CONSOLARLA: – Tieni conto di tutte le critiche, ma non farti condizionare troppo e vai avanti per la tua STRADA, cercando di fare sempre meglio!

E così fece Jo.

Una gelatina capricciosa...

I primi tempi del matrimonio di Meg furono *felici*, ma impegnativi. Meg amava prendersi cura della sua casa: era molto esigente con se stessa e cercava sempre di fare tutto alla *perfezione*.

Ma quanta energia ci voleva!

Quando RAMMENDAVA, i bottoni sembravano scappar via per non farsi trovare. Quando puliva i pavimenti, la **polvere** riappariva negli angoli più impensati. E quando cucinava talvolta il ricettario era difficile come un libro di matematica!

Eppure, Meg era sempre pronta ad accogliere qualsiasi ospite con calore e generosità: anzi, amava molto la **COMPAGNIA** e spesso esortava John a invitare qualche suo collega di lavoro, per CENARE e chiacchierare tutti insieme. A Meg piaceva anche sperimentare nuove ricette e si faceva consigliare dalla fedele Hannah, che in cucina era un *PORTENTO*. Un giorno, dopo avere visto Hannah preparare con grande maestria una gelatina di ribes rossi, Meg volle fare lo stesso. Così colse molti ribes tondi e maturi, comprò un cartoccio di zucchero al mercato e preparò alcuni vasetti di vetro VUOTI. Indossò poi un grembiulone e si mise all'opera, sicura di fare in un attimo: a Hannah

erano bastate alcune ore per preparare tutto!
Ma tra **VEDERE** una cosa fatta e farla, la
differenza può essere tanta...

Dopo appena un'ora di lavoro, infatti, Meg
era **DISTRUTTA**, in cucina regnava la confusione e il succo di ribes era **schizzato**
dappertutto! E come se non bastasse, proprio
quel giorno John aveva voluto invitare il suo
amico Scott a pranzo.

Non appena i due arrivarono, John udì subito
dei forti **SiNGHiOzzi** provenire dalla cucina e si precipitò dalla moglie: Meg era in
lacrime e fissava sconsolata il disastro che la
circondava. E tutto per una gelatina di frutta!

Preoccupatissimo, John corse subito ad abbracciarla: – Ma che cos'è successo, cara?! Qualche guaio?

Meg balbettò, tra le lacrime: – L-la mia

gelatina è troppo **liquida!** Guarda che cosa
ho combinato! Sigh...

John, sollevato che i guai fossero tutti lì, non
riuscì a trattenere una sonora RISATA: – Ma
non ti preoccupare, tesoro! Su, asciugati gli
occhi: c'è anche il mio amico Scott, di là...

Meg si accasciò su una SEGGIOLA: – Un
ospite?! Con la casa in queste condizioni!

John le si avvicinò: – Ssst... parla piano...

Meg sospirò: – Ma lo sapevi che oggi era il
giorno della gelatina!

John cercò di blandirla: – Non stiamo a litiga-
re per così poco! Basta che tu ci dia
una fetta di pane, un po' di
FORMAGGIO... Ma niente
gelatina, eh!

Pensava di essere stato spirito-
so, ma Meg si offese ancora

di più: – Non sia mai detto che io sfami gli
ospiti con pane e formaggio!
John prese qualche fetta di pane e formaggio
dalla dispensa, uscì dalla cucina **SCURO**
in volto e accompagnò Scott a mangiare sotto
la pergola, in **GIARDINO**.
Dopo che John e Scott se ne furono andati,
Meg pulì e *riordinò* con cura la cucina.
Intanto, rifletté sull'accaduto.
Era una sciocchezza, ma Meg sapeva che
spesso sono le piccole discussioni a lasciare
due persone corrucciate e **IMBRONCIATE**
a lungo: soprattutto se si tratta di persone
ostinate come lei e il suo John!
Quella sera, John si sedette sul divano in
soggiorno, fingendo di leggere: in realtà
SBIRCIAVA l'espressione di Meg.
Meg, dal canto suo, si mise a ricamare,

guardando di sottecchi il marito.
Entrambi stavano aspettando il momento giusto per chiedersi scusa e fare la pace!
All'ennesima sbirciatina, i loro **SGUARDI** si incrociarono e tutti e due non riuscirono a trattenere una risata: **FinaLMente!**
Meg si alzò e corse in braccio a John, stampandogli un bel **bacio** sulla guancia.
E per farsi perdonare di avere reagito in modo tanto **ESAGERATO**, il giorno dopo invitò Scott a casa loro per un pranzetto eccellente!

Meg, che spendacciona!

e giornate d'inverno erano insopportabilmente **lunghe** per Meg, che prese l'abitudine di accettare gli inviti della sua amica Sallie Moffat.

Sallie era molto ricca e la sua vita era piena di agi e comodità. Spesso le due amiche uscivano per negozi e Sallie faceva spese che Meg non si sarebbe **MAI** potuta permettere.

Solo in rare occasioni, anche Meg si lasciava tentare dall'acquisto di qualche *frivolezza*.

In quei casi le sembrava sempre di spendere pochi spiccioli, ma gli spiccioli sommati ad

altri spiccioli... possono diventare una somma **CONSISTENTE!**

Un pomeriggio Sallie accompagnò Meg in un negozio di tessuti. La commessa mostrò alle ragazze drappi di seta di varie tinte, tra cui un colore violetto per cui Meg **stravedeva!**

Sallie insistette perché Meg lo acquistasse: – Vedrai Meg, ti starà un INCANTO!

Meg esitò un poco: quel tessuto era bellissimo, ma costava **PARECCHIO**... alla fine, però, si lasciò convincere dall'amica e lo comprò. Una volta a casa, ripose con cura la seta nell'armadio. Eppure, non si sentiva in pace con se stessa: forse era stato un acquisto un po' azzardato! John la lasciava *libera* di gestire il

denaro come riteneva più opportuno, ma a
fine mese controllavano insieme come erano
stati spesi i loro sòldi.

E così anche quella volta, giunta l'ultima sera
del mese, Meg e John si misero al tavolo con
il quaderno delle spese aperto.
John rise di alcune voci: il fermatovaglioli, per
esempio, oppure il piumino per spolverare i
cristalli (ma quali cristalli?!). Quando però
lesse la cifra spesa per la seta violetta, la sua
espressione s'incupì. Meg ARROSSÌ imbarazzata e cercò di giustificarsi: – Vedi, Sallie ha
tanto insistito! E... mi sono lasciata tentare!
John si strinse nelle spalle: – La triste verità è
che quella seta non ce la possiamo permettere! E dovrò rinunciare al soprabito di cui
avevo **assolutamente** bisogno...
Meg scoppiò in lacrime, pentita: com'era stata

egoista a pensare soltanto ai suoi capricci!
Il giorno dopo, risoluta, mise da parte l'orgo-
glio e andò dalla sua amica Sallie.
Meg si fece coraggio e con molta dignità
espose la situazione. L'*amica* soppesò la
seta con molta attenzione e alla fine fu tanto
GENEROSA da ricomprare lei stessa il
prezioso tessuto.
Con i soldi ricevuti, Meg *CORSE* ad acqui-
stare il più bel soprabito che riuscì a trovare e
lo sistemò sull'attaccapanni dell'ingresso.
John fu felicissimo di quella sorpresa e
Meg si sentì come se avesse compiuto la
migliore azione della sua vita!

Doppia sorpresa!

a felicità più grande fu quella che riempì la casa di Meg qualche tempo dopo.

Un **mattino** Laurie, tornato a casa dal college per il fine settimana, bussò alla porta di Meg e John. Venne ad aprirgli Hannah, che però lo salutò a malapena e corse subito al piano di SOPRA con una casseruola colma di acqua fumante e alcuni panni umidi sul braccio. Laurie rimase in piedi all'ingresso come uno stoccafisso e si grattò la testa: ehi, ma che accoglienza!

Qualche istante dopo, Jo gli **SFRECCIÒ**
davanti senza degnarlo di uno sguardo, cor-
rendo anche lei di sopra armata di panni
bagnati tra le braccia e altri panni asciutti
sulla testa.

Quando anche Amy lo sorpassò e si
PRECIPITÒ affannata al piano di
sopra, Laurie la seguì a ruota,
PERPLESSO: ma che cosa stava
succedendo in quella casa?!

Al piano di sopra, la porta della
camera da letto di Meg era chiusa e
John camminava **AVANTI** e **INDIETRO**
lungo il corridoio. Quando Laurie gli toccò
una spalla per chiedergli che cosa stesse acca-
dendo, John sobbalzò come se qualcuno lo
avesse punto con uno spillo!

Poi, SORRIDENDO a Laurie, spiegò: – È

un grande momento, amico mio, un grande momento davvero! Meg...

Proprio in quell'istante, uno strillo scosse tutta la casa: era il pianto di un neonato! Subito dopo, al primo strillo se ne aggiunse un altro, altrettanto forte e acuto.

Laurie sussultò, battendosi la fronte: ma certo! Stava nascendo un bambino... il figlio di Meg! Ma... un momento. Era un bambino o era un reggimento?! A quei primi strilli infatti ne erano seguiti altri... e quanti!

John e Laurie si avvicinarono alla stanza per cercare di sentire meglio. In quel momento Jo spalancò la porta e i due per poco non le caddero addosso.

 Jo scoppiò a ridere e li fece finalmente entrare: gli occhi le brillavano per l'emozione.

Meg era a letto e reggeva due **FAGOTTINI**
avvolti in una coperta... due *gemelli*!
I piccoli erano un maschietto e una femmi-
nuccia e dormivano beati tra le braccia di
Meg: erano *tenerissimi!*

La signora March e Hannah
sorridevano commosse. Meg
era sfinita ma RAGGIANTE e
John corse a stringerla forte.
Jo annunciò, con aria solenne:
– *Benvenuti,* Daisy e Demi!
Sarete i bambini più belli e buoni del mondo,
ci scommetto tutti i soldi di Laurie!
Tutti scoppiarono a ridere, *felici*.

Incorreggibile Jo!

Allora, Jo? Andiamo?!
– E dove dobbiamo andare?
– Ecco, lo sapevo: te ne sei scordata! Oggi è giorno di visite!
Jo scosse la testa, mentre Amy si stava sistemando il cappellino.
Amy aveva fissato ben sei visite di *cortesia* per quella giornata: Jo avrebbe fatto di tutto pur di non andare, ma purtroppo quella volta non aveva trovato nessuna scusa per restare a casa.
Dopo essersi ficcata in testa il primo cappello

trovato sull'appendiabiti, Jo **borbottò**:
– Ci sono! Quanta fretta per che cosa, poi...
Amy la guardò **INORRIDITA**: – Jo!
Non vorrai uscire con quel *coso* in testa?!
Jo sbatté le ciglia, **PERPLESSA**: – Quale *coso*,
scusa?

Poi si accorse di avere preso per sbaglio un
cappello del signor March: – Ehm, **OPS!** Uff,
quante storie però... Se le persone sono più
preoccupate di come mi vesto che di quello che dico, allora non voglio perdere tempo
ad andarle a trovare!

Amy replicò, **STIZZITA**: – Se ti mettessi il mio
cappellino con il nastro rosa, un paio di

guanti decenti e un bell'abito da pas-
seggio, saresti una delle ragazze
più **carine** di tutta la città!
Ma a Jo del suo aspetto importava

ben poco e Amy riuscì soltanto a convincerla a indossare il cappellino con il nastro rosa, ma senza guanti e con il **SOLITO** abito di tutti i giorni.

La prima meta era la casa dei Chester: gente alla moda con cui Amy voleva assolutamente fare *bella* figura.

E infatti fece mille raccomandazioni alla sorella: – Non parlare troppo, come al tuo solito! Cerca di contenerti!

Jo annuì e **ALZÒ** gli occhi al cielo, sospirando rassegnata. In fondo, per Amy quella faccenda delle visite era davvero importante e lei non voleva certo guastarle la giornata.

Solo che seguì le raccomandazioni un po' troppo alla lettera! Seduta nel sontuoso salotto dei Chester, Jo ebbe così **PAURA** di fare o dire qualcosa di sbagliato che rimase per tutto

il tempo immobile e muta, mentre Amy tentava di tenere **VIVA** la conversazione con i padroni di casa e le loro figlie.

I Chester cercarono invano di chiacchierare con Jo, che invece continuò a starsene **RIGIDISSIMA** sull'angolo del divanetto, rispondendo solo a monosillabi e solo quando strettamente necessario.

Appena le loro due ospiti se ne andarono, la signora Chester commentò: – Amy è sempre *deliziosa*. Ma la sorella... che tipo scontroso!

Per **STRADA**, Jo tirò un sospiro di sollievo: la prima visita era andata!

Amy però non era altrettanto sollevata:
– Beh, grazie tante, Jo! Quando ti ho chiesto di non parlare **TROPPO**, non intendevo

certo dire che dovessi restare muta per
tutto il tempo! Chissà che cos'avranno
pensato i signori Chester!

Jo sbuffò: – Oh, ma insomma! Se parlo
non va bene, se sto zitta non va bene... sei
davvero INCONTENTABILE!

La tappa successiva era il salotto dei Lamb.
Jo, non volendo ripetere l'errore commesso
dai Chester, vi entrò come una barca che
iRROMPE a vele spiegate in un porto.

Abbracciò con trasporto tutte le signore pre-
senti e le baciò sulle guance, come se fossero
parenti strette!

Amy era IMBARAZZATISSIMA e cercò una
scusa per andarsene al più presto.

Le due sorelle continuarono a battibeccare,
finché arrivarono a casa dei Tudor.

Jo fu sollevata: i signori Tudor avevano tre

figli piccoli e lei con i bambini si divertiva
sempre moltissimo!

Quando fu il momento di andarsene, Amy la
trovò in GIARDINO, mentre si scatenava e
giocava a rincorrersi con i tre piccoli Tudor.
Era tutta sporca di TERRA ed erba e il povero cappellino con il nastro rosa giaceva a
terra tutto sgualcito e infangato.

Troppo stanca per arrabbiarsi, Amy raccolse
il cappellino, scosse il capo e si congedò
dai Tudor, evitando commenti.

Non c'era proprio niente da fare: in società Jo
era davvero incorreggibile!

Lingua lunga!

Quello stesso pomeriggio, Amy e Jo dovevano passare a trovare zia March a Plumfield.

Jo, che nel frattempo si era un po' ripulita, non la smetteva di sbuffare e LaMentarsi: ci mancava solo quella scorbutica della zia! La vecchia zia stava prendendo un tè con zia Carrol. Le due chiacchieravano a bassa voce, ma si interruppero non appena videro Amy e Jo all'ingresso.

Amy fu gentile come al solito, mentre Jo non avrebbe potuto essere più IMBRONCIATA.

Le zie cominciarono a discutere di una grande fiera che si sarebbe tenuta di lì a qualche giorno: era stata organizzata per beneficenza da alcune ricche famiglie della zona.

Amy avrebbe partecipato esponendo alcune delle sue piccole opere d'**ARTE**.

Jo era contrariata: – Io dico che ti sfrutteranno e basta!

– **SBAGLI!** – replicò Amy, scuotendo la testa. – Vogliono solo aiutarmi a far conoscere il mio lavoro di artista: è un'opportunità **IMPORTANTE** per me!

Zia March e zia Carrol seguivano attentamente la discussione e ogni tanto si scambiavano sguardi di intesa.

Jo fece **SPALLUCCE**: – Sarà... ma secondo me è sempre meglio non chiedere favori e cercare di fare da soli...

Se avesse saputo che cosa stava **frullando** nella mente di zia March in quel momento, Jo avrebbe tenuto a **FRENO** la lingua.

Zia March si rivolse ad Amy: – Tu conosci il *francese*, cara?

Amy si strinse nelle spalle: – Lo parlo discretamente... anche se non benissimo!

La zia sembrò soppesare quella risposta e rimase a lungo **soprappensiero**.

Quando Jo e Amy si incamminarono finalmente verso casa, il sole stava tramontando.

– Pfiuuu... Niente più visite prima del prossimo secolo! – dichiarò solenne Jo.

La fiera
del buon gusto

La fiera di beneficenza era un'occasione *mondana* molto attesa in città. Per le ragazze, essere invitate a fare da venditrici a un banchetto era un vero ONORE! E a Amy era stato affidato proprio il banchetto che più le stava a **cuore**: quello delle opere d'arte! Perciò si diede un gran daffare, almeno fino a quando non accadde un fatto molto SPIACEVOLE.

May Chester, figlia di una delle promotrici della fiera, era da sempre molto invidiosa di Amy e dei suoi lavoretti artistici.

Così approfittò di quell'occasione per chiedere alla madre di sollevare Amy dall'incarico di venditrice e affidare il posto proprio a lei.

La sera prima dell'inaugurazione, per non **scontentare** la figlia, la signora Chester prese da parte Amy e le annunciò: – *Cara*, come ben sai il banchetto delle opere d'arte è il più in vista della fiera... E sarebbe giusto che venisse affidato a una delle mie figlie, visto che sono un'organizzatrice!

Amy annuì *IMBARAZZATA*, non sapendo bene che cosa rispondere.

– Quindi – proseguì la signora Chester, – sono sicura che capirai se metto May al posto tuo e chiedo a te di occuparti del banchetto dei *fiori!*

May, che aveva assistito alla conversazione, aggiunse: – Puoi lasciare a noi i tuoi lavori!

Possiamo ESPORLI comunque...

– Veramente... se non posso essere io stessa a presentarli preferisco riprendermeli! – rispose Amy, piccata.

Nonostante fosse delusa, decise di occuparsi comunque con impegno del banchetto dei fiori, decorandolo con gusto.

La mattina dopo, all'inaugurazione della fiera, il banchetto di Amy era il più grazioso: i fiori erano disposti con ELEGANZA e vari gruppi di visitatori si fermavano ad ammirarne gli accostamenti di colori e le decorazioni.

Il banchetto d'arte presieduto da May Chester, invece, era sistemato in modo approssimativo e sciatto.

I pochi visitatori che vi si accostavano com-

mentavano con **DISAPPUNTO** le poche
opere esposte. Nonostante tutto,
Amy ne era molto dispiaciuta: in
fondo, quello delle opere d'arte restava il suo banchetto preferito!

Dopo avere riflettuto, dunque, raccolse alcuni
dei suoi lavori migliori e li portò a May. La
ragazza **ARROSSÌ** e la ringraziò a occhi bassi.
Le opere di Amy diedero un tocco di colore e
di eleganza al banchetto e finalmente qualcuno iniziò a fare commenti **positivi** anche
sulle opere d'arte della fiera.
Quella sera, Amy arrivò a casa tardi, pallida e
stanca: i suoi fiori erano piaciuti moltissimo,
ma la maggior parte dei visitatori si era limi-
tata ad **AMMIRARLI**, senza comprarli.
Non appena lo seppe, Laurie la rassicurò,
facendole l'**OCCHIOLINO**: – Fidati di me!

Tra poco arriveranno alcuni miei amici e
qualcosa mi dice che avranno tutti una gran
voglia di fiori... Vedrai, sul tuo banchetto non
rimarrà neppure un garofanino!
E così fu: l'indomani Laurie e la sua
combriccola comprarono tutti i
fiori da Amy e anche diverse sue
opere esposte al banchetto d'arte.
Amy era al settimo cielo!
Poco prima che i **BANCHETTI** venissero
smontati, May Chester si avvicinò a Amy e le
tese la mano con amicizia, chiedendole scusa.
Aveva ricevuto una bella lezione!

Non è giusto!

a settimana successiva, Jo ebbe una **BRUTTA** sorpresa.

La signora March era in cucina con Beth e Jo, alle prese con l'impasto di una torta, quando comunicò: – Zia Carrol andrà in Europa quest'estate con la cugina Flo e ha deciso di portare con sé una di voi...

Jo sobbalzò, entusiasta: – In **EUROPA!** Non so che cosa darei per andare in Europa!!

La signora March le sorrise comprensiva, ma poi scosse la testa: – Mi dispiace, Jo, ma zia Carrol ha deciso di portare Amy!

Jo protestò, **accigliatissima**: – Ma
Amy è troppo giovane e io sogno di andare in
Europa da anni! Non è giusto!

La signora March spiegò: – Vedi, *cara*, Amy
conosce già un po' di *francese* e poi sai
quanto zia Carrol tenga alle convenzioni e
alle buone maniere in società! Non devi pren-
dertela troppo... Vedrai che presto avrai occasione di fare un bel **viaggio** anche tu!

Beth cercò di consolare la sorella,
ma Jo non avrebbe potuto essere più AFFRANTA.

– Forse, Jo – disse Beth, – se
fossi stata un po' meno sco-
stante nei confronti delle zie,
avrebbero pensato a te...

Jo annuì, rammaricata: – Hai proprio ragione,
Beth! È tutta colpa del mio **CARATTERINO!**

Ma non riesco proprio a fare la simpatica quando sono di malumore, è più forte di me! Beth le si **AVVICINÒ**, la abbracciò stretta e le sussurrò all'orecchio: – Se partissi tu, Jo, sentirei **terribilmente** la tua mancanza!

Jo le sorrise grata: – Sei proprio un tesoro Beth! Ma tenevo così tanto a quel viaggio...

Quella sera Amy, che era stata convocata da zia Carrol per prendere accordi sulla partenza, spiegò alle *sorelle*: – Vedete, per me non sarà un semplice viaggio turistico: a ROMA e nelle altre città d'arte europee potrò conoscere tanti artisti e capire finalmente se ho del vero talento anch'io!

Jo, che ancora sentiva i morsi dell'invidia, commentò: – Altro che talento... di sicuro la zia spera che tu incontri qualche gentiluomo ricco e altolocato e te lo sposi!

– Non essere **CATTIVA**, Jo! – ribatté Amy stizzita. – E poi, non c'è niente di male a volersi sistemare... Non tutti vogliono vivere come te, isolati da tutto e da tutti!

Jo incrociò le braccia e si **voltò** dall'altra parte. Faceva la dura, ma in realtà il commento di Amy l'aveva ferita: aveva proprio ragione, lei era davvero un'anima SOLITARIA!

Avrebbe mai trovato qualcuno che potesse volerle bene per come era?

Inviata speciale!

Così, qualche tempo dopo Amy partì per l'Europa, piena di **eccitazione** e di speranze.

Scriveva spesso a casa, soprattutto all'inizio del viaggio.

Alcune di quelle *lettere* furono lette e rilette dalla *famiglia* con grande attenzione.

Londra, Inghilterra.

Carissimi tutti,
vi scrivo da un albergo che si affaccia su
Piccadilly Square. Da quando sono
PARTITA *ho riempito fogli e fogli di dise-*
gni e schizzi! Mi sto divertendo tantissimo!
La traversata dell' Atlantico *in*
nave è andata bene, anche se all'inizio ho
sofferto un po' di mal di mare... Arrivata a
TERRA *mi sembrava che tutto il mondo*
dondolasse e mi ci è voluto l'intero pomerig-
gio per riprendermi! Londra è una città piena
di vita e di movimento *ed è così bella che*
non so proprio come descriverla!
Per prima cosa abbiamo fatto spese in Regent
Street e zia Carrol mi ha comprato un elegan-
te cappellino con una piuma azzurra, una
camicetta bianca e una mantella.

94

*In strada c'era un sacco di gente e ho persino
visto alcuni ufficiali reali in* **divisa!** *Qui c'è
la regina, sapete: me l'ha spiegato la zia.
Ho riempito di ritratti il mio album per ricor-
darmi bene tutti gli abiti e gli accessori più*
ORIGINALI *che mi capita di vedere: qui la
moda è così diversa da quella americana!
E una delle prime sere sono persino
venuti a trovarci due* amici *inglesi di
Laurie: Frank e Fred Vaughn!
Ci hanno accompagnato a teatro e
abbiamo passato una bellissima serata.
Frank si è seduto accanto a Flo e Fred è stato
accanto a me. Due veri gentiluomini!
Ora è tardi, devo andare a dormire.
Vi penso con* **AFFETTO** *e vi abbraccio.*

Vostra, Amy

Inviata speciale!

Parigi, Francia.

Mie care sorelline,

abbiamo completato il **giro** di Londra visitando musei meravigliosi come scrigni pieni di gioielli. Fred e Frank Vaughn ci hanno fatto compagnia tutto il tempo e mi è dispiaciuto doverli salutare. Ma questo viaggio è zeppo di **sorprese**: appena siamo arrivati in Francia, ecco che abbiamo visto ricomparire Fred! Parla benissimo il francese e ci ha scortato ovunque.

Come avremmo fatto senza di lui?!

La prossima settimana partiamo per la Germania e poi andremo in Svizzera.

Gli **SPOSTAMENTI** saranno rapidi, ma spero proprio di avere il tempo per scrivervi spesso.

Vi abbraccio forte,

Amy

Heidelberg, Germania.

Cara MAMMA,

sto riposando prima della partenza per
Berna. Ci sono delle **NOVITÀ** che
devo assolutamente raccontarti!
Abbiamo _{risalito} il corso del Reno in battello
e una sera Fred Vaughn e alcuni studenti di
Bonn che abbiamo conosciuto a bordo hanno
fatto una SERENATA a Flo e a me!
È stato incantevole, così romantico...
Quando hanno finito di suonare e cantare,
abbiamo gettato loro dei boccioli di fiori
dal balcone e loro li hanno raccolti ridendo.
La mattina dopo, Fred è venuto a farmi visita
e mi ha **MOSTRATO** un bocciolo sgualcito
che teneva stretto nel panciotto. Ridendo gli ho
detto che i fiori li aveva gettati Flo. Lui, allora,
ha preso il bocciolo e lo ha gettato via...

Io ero felice di pensare che tra noi stesse nascendo una bella amicizia, ma ho capito che per lui è **MOLTO** *di più.*

Ho pensato addirittura che potrebbe chiedermi di **fidanzarci!**

E se lo farà, io accetterò, cara mammina.

Se proprio devo essere sincera, non credo di essere innamorata di Fred, perché quando lo vedo il cuore non mi batte forte e provo solo amicizia e tenerezza. Ma gli voglio bene e poi zia Carrol dice che ormai devo pensare a sistemarmi e cogliere le occasioni che mi capitano! E Fred è molto, molto ricco...

Una di noi deve pur fare un buon matrimonio! Meg non lo ha fatto, Jo non ne ha voglia e Beth non può perché è ancora tanto debole: *insomma, tocca a me!*

Fred non mi ha ancora detto nulla, ma da

tanti dettagli sento che tra poco si dichiarerà.
Ieri sera siamo andati a visitare un castello
e Fred è passato prima dalla posta. Dopo
la visita, mentre tutti si **RITIRAVANO**,
mi sono fermata a disegnare sul mio album.
È stato allora che Fred è arrivato, trepidante
e agitato come non lo avevo mai visto.
Aveva ricevuto una lettera da casa: lo prega-
vano di rientrare perché Frank è gravemente
MALATO. Mi ha preso le mani e, guardando-
mi con i suoi intensi occhi azzurri, ha detto:
'Tornerò presto, Amy. Promettimi che non ti
scorderai di me...'.
C'era tanta passione nel suo sguardo!
Ma non preoccuparti per me: sarò prudente e
aspetterò la tua opinione e i tuoi consigli.

Tua sempre,

Amy

Che cosa succede, piccola Beth?

Sono preoccupata per Beth – confidò un **POMERIGGIO** la signora March a Jo.

Jo la **FISSÒ** dritto in viso: – Preoccupata? Ma se da quando sono nati i bambini di Meg sta anche meglio del solito!

La mamma **sospirò**: – Non so... Mi sembra che ci sia qualcosa che la **rattrista**. Sembra sempre sul punto di piangere...

Jo restò sovrappensiero per il

resto della serata e quando salì in camera a dormire le vennero in mente alcuni particolari che si erano verificati in quell'ultimo periodo. Quella volta in cui Beth, mentre suonava il *pianoforte*, si era interrotta d'un tratto, dicendo di sentirsi improvvisamente **stanca**... Quell'altra volta in cui, di ritorno da una passeggiata, si era sdraiata sul divano e aveva detto di sentirsi debole come se avesse scalato una **MONTAGNA**...

E soprattutto, a Jo venne in mente quella volta in cui aveva sorpreso Beth a sospirare malinconica alla finestra e si era accorta che stava **GUARDANDO** Laurie, mentre si allontanava da casa March dopo una delle sue visite.

Jo rifletté: ma certo! La piccola Beth doveva essersi **innamorata** di Laurie!

Jo decise che da quel momento avrebbe fatto di tutto perché Laurie RICAMBIASSE l'amore della sorella. Beth meritava tutta la felicità possibile e se Laurie era un testone e non si era ancora accorto delle sue attenzioni... beh, gliele avrebbe fatte capire lei stessa! Jo FANTASTICÒ sul da farsi fino a quando si addormentò di un sonno quieto e pieno di sogni in cui la sua adorata Beth, finalmente, SORRIDEVA felice.

Ahi ahi ahi...

Prima di quella sera, Laurie era già comparso più del solito nei pensieri delle sorelle March.

Negli ultimi tempi, infatti, tutta la *famiglia* aveva avuto l'impressione che Laurie si stesse **affezionando** sempre di più a Jo, anche se lei non smetteva di essere la solita sbarazzina e non ricambiava per nulla le attenzioni speciali che l'amico le riservava.

Del resto, Jo aveva orrore di tutte le sdolcinatezze e ogni volta che Laurie faceva qualche battuta un po' più *sentimentale* del solito, o per esempio le porgeva un mazzo di fiori con galanteria, lei gli scoppiava a ridere in faccia, facendolo arrossire imbarazzato...

Jo non aveva dubbi: agli innamorati in carne e OSSA preferiva i protagonisti dei suoi romanzi!

E poi, Laurie era come un fratello per lei: non riusciva proprio a tollerare che lui la trattasse diversamente dalle sue sorelle.

– Io non mi innamorerò mai, mio *caro* Laurie! – sentenziava Jo all'amico. – Non son proprio fatta per quel genere di cose... E poi, dove lo trovo qualcuno che mi sopporti?!

Ma ogni volta che Jo diceva queste cose, Laurie scuoteva la testa, con uno strano sorriso: – Sbagli, Jo! Un giorno anche tu ti innamorerai. Di un ragazzo molto fortunato...

Quando fece la sua grande 'scoperta' su Beth,
Jo cominciò a riconsiderare tutta la situazione
da un diverso punto di **VISTA**.
Il giorno successivo, infatti, Jo invitò Laurie e
fece sì che restasse a lungo insieme a Beth.
Per Laurie non fu certo uno sforzo: voleva
bene a Beth come a tutte le altre sorelle
March e anzi ultimamente, come tutti, anche
lui era **preoccupato** per la salute indeboli-
ta della ragazza.
Mentre Laurie raccontava a Beth le **NOVITÀ**
della settimana, Jo pensava tra sé e sé:
– Quanto sarebbe bello se si amassero!
Più tardi quella sera, quando Beth andò a
dormire, Laurie si sedette sul divano, vicino a
Jo. Ehm, un po' **TROPPO** vicino, a dire il vero!
Jo si irrigidì e sbadigliò vistosamente: – Che
stanchezza! Sarà meglio che te ne vada!

Laurie si IMBRONCIÒ:
– Uff, potresti essere un po'
più *gentile*!
– Beh, sai che non so esse-
re gentile a comando! – lo
FREDDÒ lei.

Laurie sospirò: – E pensare che
la schiettezza è una delle qualità che amo di
più in te...
La **DISCUSSIONE** sarebbe proseguita, ma Jo si
congedò dall'amico e corse in soffitta.
Forse i suoi progetti su Laurie e Beth erano
stati troppo ***AFFRETTATI...***

Destinazione New York!

uella notte, in soffitta, Jo faticò a prendere sonno e al risveglio chiamò subito la MAMMA: aveva preso una solenne decisione.

– Ho voglia di fare, vedere e imparare cose nuove! – annunciò. – Quest'inverno vorrei **ALLONTANARMI** un po' da casa. Se non avete bisogno di me, mi piacerebbe fare esperienze nuove e stimolanti... Mi sento un po' un uccellino in **GABBIA!**

La mamma rimase in silenzio per qualche istante. – Dove vorresti andare? – le chiese CURIOSA.

– A New York! Ricordi che la signora Kirke ti aveva chiesto se conoscessi qualcuno disposto a fare da istitutore alle sue *bambine*? Ecco, potrei andarci io!

La mamma alzò le sopracciglia, sorpresa: – Ma Jo, quella è una pensione... Dovrai lavorare TANTISSIMO!

– Lavorare non mi spaventa, lo sai bene! – replicò Jo. – E poi la signora Kirke è una tua cara amica: mi tratterà bene, ne sono certa!

La signora March annuì: – Lo so Jo, ma... che ne sarà del tuo lavoro di *scrittrice?*

– Il mio lavoro si arricchirà di queste nuove esperienze! – la rassicurò Jo. – E il tempo per scrivere riuscirò sempre a trovarlo. Inoltre...

Jo *abbassò* lo sguardo: – Ecco, credo che Laurie si stia *legando* un po' troppo a me... Ogni tanto si comporta in modo così strano! La mamma **sorrise**: – E tu non lo ricambi? – Io gli voglio bene, ma solo come a un amico! – rispose Jo. – Non potrei mai fidanzarmi con lui. E vorrei partire prima che si illuda troppo... Non vorrei mai farlo soffrire! La signora March annuì comprensiva. Quanti piccoli problemi nascono, quando si diventa *donne!*

Il diario di Jo

Così, quell'autunno Jo partì per la grande città di **NEW YORK**. Come faceva Amy dall'Europa, anche Jo mandava sue **notizie** alla famiglia attraverso lunghe lettere, che scriveva tutti i giorni e inviava una volta alla settimana.

Quegli scritti erano un vero e proprio diario!

Il diario di Jo

New York, novembre.
Lunedì.

Cara mamma e cara Beth,
la signora Kirke mi ha accolto come se fossi
figlia sua. La pensione è **GRANDE** e sempre
piena, ma lei ha riservato uno spazio solo
per me. Mi ha sistemata in una piccola
MANSARDA, che ha una finestra che si
affaccia sul tetto. C'è poco altro, a parte una
scrivania e un letto, e devo fare una gran
quantità di scale per arrampicarmi fin
quassù, ma non potrei stare meglio e per me
questo posticino è come una reggia!
Faccio da istitutrice a due bambine
molto **CARINE**, anche se un po' vizia-
te: si chiamano Kitty e Minnie.
Ho già incontrato diverse persone interessan-
ti, con cui discutere di tanti argomenti.

Un ospite, in particolare, mi ha colpito molto. Parla con un accento straniero ed è assai cortese con tutti, me compresa.

Ho saputo che si chiama Baher, professor Friedrich Baher, e che viene da Berlino. È intelligente, BRILLANTE e conosce un sacco di cose, anche se purtroppo è molto povero e piuttosto SFORTUNATO. Si mantiene dando lezioni private di tedesco, ma a Berlino insegnava addirittura all'università!

Martedì.

Stamattina Kitty e Minnie erano davvero **SCATENATE**. Stavo quasi per fare loro una bella sfuriata, quando mi è venuta l'idea della ginnastica. Ho fatto far loro così tanti esercizi, che alla fine sono state ben contente di tornare sedute a *studiare!*

*Quando poi, giunta la sera, mi sono seduta
per scrivere, a un certo punto ho sentito una
voce* PROFONDA PROFONDA *che veniva dal
salottino vicino a quello in cui lavoro io
(sono due stanze separate solo da una porta
a vetri con una tendina). Dopo un po', ho*
CEDUTO *alla tentazione e
sono andata a scostare la tendina:
la voce era quella del professor
Baher, che* CANTICCHIAVA
*tra sé nella stanza in cui fa
lezione. Da dietro la porta a
vetri, l'ho potuto osservare
con più attenzione: è un
signore di circa quarant'anni,
alto e* **ROBUSTO**, *con i capelli
castani e una* barba *che sembra un gran cespuglio. Il suo naso*

ha una forma **BUFFA** e, anche se lo sguardo
è dolce e gentile, non c'è un solo tratto del
suo volto che si possa definire bello. Eppure,
ha qualcosa di particolare.
Quando SORRIDE gli si formano delle
rughe sottili attorno agli occhi. La cosa che
più mi piace di lui, però, è la voce: così
profonda e sicura... sembra una carezza per
le orecchie! Ha un'aria da gentiluomo, anche
se gli manca qualche bottone e qualche volta
porta i calzini spaiati... è così **SBADAT**o!
Quando la signora Kirke ha accompagnato
nella sua stanza una bambina per la lezione,
io stavo rientrando nella mia camera in soffitta e ho notato che il professore, timidamente,
mi **GUARDAVA**... Che sguardo buffo!
Credo che stanotte dormirò sodo: è stata una
giornata **INTENSA!**

Il diario di Jo

Giovedì.

Ho conosciuto le persone che sono a servizio qui alla pensione e ho fatto amicizia con Miss Norton, una delle ospiti. È ricca, colta e gentile e mi ha invitato nella sua stanza. Ha parecchi libri e alcune splendide stampe alle pareti. Mi è sembrata interessante e simpatica e abbiamo discusso di arte e letteratura per ore!

Ieri, mentre ero in salotto, è entrato il professor Baher con alcuni giornali per la signora Kirke. Siccome la signora non c'era, ci siamo presentati ufficialmente tra noi: finora ci eravamo scambiati qualche saluto da lontano, ma non ci era ancora capitato di essere l'uno di fronte all'altra. Mi ha fatto RIDERE, con quei suoi modi gentili ma un po' goffi e quello STRANO accento...

Il diario di Jo

Sabato.

Oggi, mentre **RIENTRAVO** in camera, ho sentito che dal salotto veniva un gran baccano. Mi sono affacciata sulle scale e ho visto il professor Baher che GIOCAVA con Kitty e Minnie: era carponi sul tappeto e faceva l'elefante per far ridere le bambine! Mi ha fatto una gran *tenerezza*.

Quella stessa sera mi ha invitata nel salottino dove di solito tiene le sue lezioni e abbiamo parlato a **lungo**, soprattutto di libri.

Il professore è un lettore accanito come me e mi ha letto alcune poesie di un autore tedesco che ama molto: erano *bellissime*!

È proprio una persona originale, per questo mi piace ascoltarlo e raccontarvi quel che fa.

Una *montagna* di baci a tutti!

Jo

Il diario di Jo

New York, ancora dicembre.

Carissima Beth,

in questo momento **NEVICA** fitto fitto...
che meraviglia!

Dedico queste pagine soprattutto a te, perché
sono sicura che ti divertirai leggendo quel che
accade qui! Anzi, per non scrivere troppi pensieri a CASACCIO, cercherò di raccontare
meglio come vivo a New York.

Le bambine che seguo cominciano a comportarsi meglio e credo che i miei SFORZI stia-
no dando i primi frutti. Mi vogliono bene e io
ne voglio a loro.

Chiacchiero spesso con il professor Baher
e ormai siamo diventati OTTIMI
amici. Ho addirittura cominciato a
prendere lezioni di tedesco da lui!

Ora ti spiego come è accaduto.

La signora Kirke riordina la camera del professore una volta alla settimana. Un giorno, mentre stava cercando di sistemare libri e vestiti del *professore*, mi ha chiesto se potevo darle una mano.

Per essere d'aiuto, ho preso le cose da rammendare: io sono **SVELTA** con l'ago, lo sai! Ho ricucito un fazzoletto strappato e alcuni calzini BUCATI. La settimana successiva ho fatto lo stesso, ma il professor Baher è tornato in camera prima che avessi finito e mi ha colto in **flagrante**.

Sorridendo, ha sussurrato:

– Siete voi, allora, che sistemate le mie cose! Ma lasciate che **RICAMBI** in qualche modo il vostro favore, ve ne prego. Non vorreste,

magari, che vi insegnassi un po' di tedesco?
Potrebbe esservi utile!

Gli ho spiegato che le lingue straniere non
erano proprio il mio **FORTE**, ma lui ha tanto
insistito e dunque ora ci vediamo con regola-
rità la sera per le lezioni.

Il professor Baher è sempre paziente e mi
incoraggia molto con il suo grande
entusiasmo.

Grazie per le belle notizie che mi hai dato
nella tua ultima *lettera*, cara Beth.

Sono contenta che Laurie stia studiando e
sono ancora più **CONTENTA** che venga a
farti visita spesso.

Ti stringo forte, ti voglio bene!

Tua, Jo

Firmato:
Joseph March!

Io era felice della sua nuova vita a NEW YORK.

Lavorava sodo nella pensione della signora Kirke: si guadagnava da vivere e riusciva anche a **SPEDIRE** una piccola somma alla sua famiglia, ogni mese.

Nonostante ciò, però, non aveva mai abbandonato l'abitudine di *scrivere* di notte i suoi amati racconti.

Certo, New York era una città affollata e piena di aspiranti scrittori, quindi non era molto semplice riuscire a trovare un editore o un giornale disposti a pubblicare i suoi lavori. Inoltre, Jo era una donna e spesso gli editori avevano **pregiudizi** nei suoi confronti. Non appena la vedevano la liquidavano subito esclamando: – Niente raccontini **sentimentali**, grazie, signorina!

Ma Jo non si rassegnava: altro che raccontini sentimentali... i suoi erano racconti d'avventura, di **mistero!** Prima o poi qualcuno le avrebbe dato fiducia, ne era convinta.

In quel periodo, il genere letterario che riscuoteva maggiore successo presso il pubblico erano i racconti da brivido, che parlavano di vicende sensazionali.

Così, Jo s'impegnò per scrivere un racconto che avesse quelle caratteristiche e lo portò personalmente al DIRETTORE della rivista cittadina *Vulcano Settimanale*.

Firmato: Joseph March!

La redazione del *Vulcano Settimanale* si rivelò ben diversa da come Jo se l'aspettava: era un'unica stanza in cui la confusione regnava sovrana! Le pareti erano piene di librerie strabordanti che sembravano sul punto di esplodere e nella stanza c'erano tre scrivanie, occupate da tre signori.

Jo chiese del direttore della rivista, il signor Dashwood. Uno dei tre le fece un cenno con il capo e, quasi balbettando, Jo gli spiegò che voleva proporre un racconto.

Il signor Dashwood non la lasciò finire: le TOLSE subito di mano la cartellina con i racconti e li lesse da cima a fondo, lanciandole solo un'occhiatina di tanto in tanto.

– Non male per essere un primo tentativo – borbottò alla fine.

Firmato: Joseph March!

Jo strinse i pugni per trattenere l'emozione...

– Quindi possono interessarvi? Per la pubblicazione, dico... – chiese con un FIL di voce.

Il signor Dashwood le SORRISE. Confermò che avrebbe pubblicato i suoi lavori e le offrì un discreto compenso.

– A patto che firmi con un nome da uomo! – puntualizzò.

Jo accettò di *firmarsi* come 'Joseph March': che importanza aveva la firma... avrebbero pubblicato i suoi racconti!

Un amico speciale

Tornata alla pensione, Jo si tuffò a scrivere altri racconti, cercando di TRASFERIRE su carta tutte le storie avvincenti e intriganti che le venivano in mente. Con la fantasia che aveva, per lei non era certo un compito DIFFICILE!

In poche settimane, i suoi lavori conquistarono uno spazio fisso tra le pagine del *Vulcano Settimanale* e il compenso iniziò ad arrivarle con puntualità. Jo conservava tutte le copie della rivista e metteva da parte il denaro guadagnato per inviarlo alla sua famiglia.

Il professor Baher non sapeva che cosa lei stesse scrivendo, ma vedendola sempre con carta e penna cercava di non disturbarla troppo e di darle solo qualche consiglio sulla buona riuscita di un racconto.

Per esempio, le aveva suggerito di studiare **ATTENTAMENTE** il carattere di tutte le persone che incontrava e di concentrarsi soprattutto sui dettagli.

– Quando si scrive bisogna essere capaci di dare VITA a personaggi e situazioni, non soltanto descriverli... Per questo osservare la realtà è tanto **IMPORTANTE!** – le diceva con entusiasmo.

Jo si trovò così a prendere continuamente *appunti* su tutte le persone che conosceva o che le capitava di incontrare.

E chissà come, molti di quegli appunti riguardavano proprio il professor Baher...

Jo aveva notato che in molti gli volevano *bene*.
Anche se era **POVERO**, infatti, il professore cercava sempre di donare qualcosa a tutti. E più lo osservava, più Jo desiderava conquistare la stima e l'affetto di quella persona per lei così *affascinante*.

Una sera tuttavia accadde un piccolo **INCIDENTE** tra i due.

Il professore si presentò per la loro solita lezione di tedesco con un cappello di carta in testa. Jo scoppiò a RIDERE.

– Perché ridete? – si stupì Baher.

– Provate a toccarvi la testa! – rispose Jo, soffocando un'altra risatina.

Baher si portò una mano sopra la fronte e tolse subito il **BUFFO** cappello: – He he he...

Lo ha fatto per me la piccola Minnie e mi sono scordato di toglierlo!

Poi si mise a osservare con attenzione la carta del giornale con cui era stato fatto il cappello e d'un tratto si fece SERIO.

– Mmm... Forse le bambine non dovrebbero giocare con questi giornali! – esclamò pensieroso. – Pubblicano solo racconti sciocchi... STORIE di misteri, novelle da brivido, scritte solo per fare... come dicono loro? Ah, sì: 'SENSAZIONE'!

Il cuore di Jo si raggelò: quanto aveva detto il suo amico si adattava benissimo ai racconti che lei stava scrivendo per il *Vulcano Settimanale*!

Senza aggiungere altro, il professor Baher accartocciò il cappellino di carta e lo gettò nel CAMINETTO.

Jo evitò di fare commenti e terminò la lezione senza riuscire più a concentrarsi.

Poi salutò il *professore*, corse nella mansarda e vi si chiuse dentro. Prese tutte le copie del *Vulcano Settimanale* che aveva tenuto da parte e le **BRUCIÒ** nel caminetto. Infine chiuse nel cassetto carta e penna, in attesa di usarle per lavori migliori.

L'inverno finì e lasciò spazio a una bellissima **PRIMAVERA**. Quando arrivò giugno, per Jo fu tempo di tornare a casa March.

La sera prima che lei partisse, il professore le disse: – Cara amica, siete davvero molto **F*RTUNATA** ad avere un posto dove tornare e qualcuno che vi aspetta!

– Ma anche voi avete qualcuno che vi aspetta: **IO!** – rispose Jo, con un ☺☺☺☺☺. – Venite a trovarmi, vi prego!

Il professor Baher annuì sorridendo, con uno
SGUARDO tanto significativo che Jo non
poté fare a meno di arrossire.
E il mattino dopo, quando alla
STAZIONE vide Baher
che arrivava trafelato per
salutarla, Jo capì di avere
trovato il più prezioso dei
tesori: un amico speciale.

Siamo solo amici, Laurie!

a laurea di Laurie fu celebrata con una grande festa.

Il signor Laurence, la famiglia March al completo e un gran numero di amici accorsero alla cerimonia per fargli i complimenti.

Quella sera, Laurie prese da parte Jo e le disse, con tono accorato: – Possiamo VEDERCI noi due soli domani, Jo?

Quello era un giorno di festa e Jo non poteva negare nulla a Laurie, così gli rispose:

– CERTO! Ci sarò anche se farà tormenta o bufera, per il nostro dottor Laurie!

Sotto sotto, però, Jo era piuttosto preoccupata. In certi momenti temeva che Laurie potesse dichiararsi a lei e **RoviNARE** così la loro bella amicizia. In altri si diceva che Laurie non avrebbe mai fatto una cosa simile. E poi, lui la conosceva troppo bene: sapeva benissimo che lei non avrebbe mai accettato di **Fidanzarsi** con nessuno!

Il giorno seguente, Jo si sentiva serena eppure, appena vide la sagoma di Laurie che la salutava da lontano, le ginocchia cominciarono a cederle...

I due si salutarono da vecchi amiconi, come al solito, e poi si avviarono per fare una passeggiata. Mentre camminavano, però, d'improvviso tra loro calò uno strano silenzio.

Laurie sembrava concentrato su qualche pensiero che Jo non riusciva bene a capire... o forse sì...

A un certo punto, Laurie si fermò e la guardò negli **OCCHI**, serissimo.

– Ho bisogno di parlarti, Jo – sussurrò. – E vorrei che tu mi ascoltassi. Per una volta **almeno!**

Jo guardò a **TERRA** e si morse la lingua: oh no, ma perché doveva tirare fuori il discorso proprio adesso...

Laurie le **STRINSE** le mani: – Ti voglio bene fin dal primo momento che ti ho conosciuta, Jo. E non è solo un bene da amici, lo sai...

– Laurie, *caro* – lo interruppe Jo.

– Non dire altro per favore! Ho fatto di tutto perché non arrivasse questo momento, perché

tu capissi che per me noi siamo solo amici...
Laurie scosse la testa, desolato: – Ma con le
ragazze non si capisce mai! Prima sembra una
cosa, poi un'altra...
Jo si decise a dare una risposta ancora più
CHIARA: – Io ti voglio bene, ma non come
vorresti tu.
Laurie abbassò lo sguardo, FERITO:
– Non c'è proprio nessuna possibilità, Jo?
– No, Laurie. Purtroppo! Ma vedrai, un giorno incontrerai una ragazza di cui ti innamorerai. Sono sicura che accadrà presto e mi
dimenticherai subito! – aggiunse Jo.
– No, questo è impossibile! Io non ti dimenti-
cherò Mai e poi Mai!
Jo cercò di confortarlo in ogni modo, ma non
c'era nulla da fare: Laurie sembrava proprio
inconsolabile.

La discussione si concluse con un **BRUSCO** litigio: Jo credeva che Laurie fosse un egoista e lui le diede dell'insensibile.

Quando si SEPARARONO, erano entrambi accigliati e imbronciati.

Laurie si diresse al FIUME e Jo rimase a guardarlo mentre si allontanava.

Non era per niente felice: aveva fatto quel che sentiva di dover fare, ma il suo cuore rimaneva pesante.

Mai più!

o decise di andare a parlare con il nonno di Laurie.

Con *pazienza*, gli spiegò che cosa fosse successo tra lei e Laurie e infine lo pregò di essere **PREMUROSO** con il nipote.

Il signor Laurence non fece capire quanto anche a lui DISPIACESSE quel rifiuto!

Quella stessa sera, Laurie rientrò in casa e si
sedette al pianoforte, intonando arie tristi.
Il nonno gli raccontò della visita di Jo, gli
pose le mani sulle spalle e disse: – Jo ha certa-
mente scelto ciò che è meglio per voi due.
Credo però che, per non soffrire troppo, sia
meglio partire per quel **VIAGGIO** in Europa
che da tempo entrambi desideriamo fare!
Ebbero solo il tempo di salutare la famiglia
March prima di mettersi in **carrozza**.
La mattina della partenza, Laurie abbracciò
Jo. Quando poi lui se ne andò, Jo sentì un
grande vuoto nel cuore e si ripromise di non
fare mai più soffrire nessuno. Mai più!

Il segreto di Beth

Quando era tornata da New York, Jo era rimasta **COLPITA** dal cambiamento avvenuto in Beth. Era diventata ancora più PALLIDA di prima ed era tanto sottile da sembrare più fragile di un giunco. Eppure il suo sguardo aveva maturato una dolcezza unica ed era sempre vivo e brillante.

Jo non le disse nulla fino alla *PARTENZA* di Laurie, perché erano successe tante cose tutte insieme e lei voleva parlare a Beth in un momento di tranquillità.

Ora che Laurie se n'era andato, Jo tornò a dedicare i suoi pensieri alla sorella minore. Prese dal borsellino i soldi che aveva guadagnato a NEW YORK con i suoi racconti e li offrì per mandare Beth in vacanza in MONTAGNA. Beth la ringraziò commossa, ma disse che avrebbe preferito passare qualche giorno al mare, a guardare le onde e il cielo che si perdeva all'ORIZZONTE...

Jo stessa si offrì di accompagnarla.

Scelsero una località che non era alla moda, ma dove la gente era *cordiale* e cortese.

Le giornate al mare trascorsero tranquille, anche se Beth sembrava pensare sempre a qualcosa di LONTANO e inafferrabile.

Le due sorelle parlavano di tutto, ma sembrava che tra loro ci fosse un argomento che entrambe non osavano affrontare.

Un pomeriggio, in riva al mare, Beth si mise a *riposare* con la testa sulle ginocchia di Jo. Sembrava che dormisse, ma a un certo punto aprì gli occhi e li FISSÒ in quelli della sorella. – La mia Jo... – sussurrò, con voce debole. – Non sai quanto mi sei mancata, quando eri a New York! Speravo tanto che potessimo passarc un po' di tempo insieme, prima che...

Jo si sentì salire le lacrime agli occhi: non aveva mai visto Beth così debole, eppure allo stesso tempo così serena e in pace.

Jo l'abbracciò forte. Beth ricambiò la STRETTA e continuò a parlare, con gli occhi chiusi: – Non devi essere TRISTE per me, cara Jo... Io sono tranquilla e anche se so che sono troppo malata per vivere ancora a lungo, gli anni che ho passato sono stati belli e pieni di felicità per me. Non avrei potuto desiderare di più, sai?

Jo era troppo ADDOLORATA per rispondere. Lasciò che Beth si addormentasse, lì in riva al mare, mentre le onde lambivano la risacca e il cielo si perdeva all'orizzonte. Poi, mentre lei riposava, Jo continuò ad abbracciarla **FORTE**, come se avesse paura che il vento gliela portasse via.

Un incontro inaspettato

Erano le tre di un pomeriggio d'**INVERNO** sul lungomare di Nizza e il sole scaldava i turisti che passeggiavano **ALLEGRI**.
In mezzo a tutti camminava un giovanotto alto e bello, che attirava molti **SGUARDI**.
Lui non ne ricambiava nessuno. Ma quando vide un certo calessino, guidato da una signorina bionda e

sola, sul suo volto si aprì un SORRISO e il
giovane alzò un braccio per farsi notare.
Il calessino si fermò e la ragazza scese al volo
strillando: – Laurie! Sei proprio tu?!
Laurie annuì, sorridendo: – Avevo promesso
che ti avrei raggiunta, Amy!
Amy era **raggiante**: – Che piacere
vederti! E devo raccontarti un sacco di cose!
Vieni, sali in calesse e parliamo con calma.
Stavo passeggiando per *rilassarmi*: voglio
essere fresca per la festa di stasera!
Laurie la guardò con aria interrogativa:
– Una festa? E dove?
– Una *festa* proprio nel nostro albergo. Ma
vieni, ti spiegherò tutto nel luogo più bello
che abbia scoperto: la collina del castello!
Laurie conosceva bene quel posto e fu felice
che Amy lo avesse scelto.

Durante il **ViAGGIO** i due amici chiacchierarono di un po' di tutto e così Amy seppe
che il signor Laurence si trovava a Parigi da
qualche tempo e che Laurie lo raggiungeva di
tanto in tanto. Amy, a sua volta, gli raccontò
del viaggio in Europa.

Mentre CHIACCHIERAVANO, i due amici si guar-
davano con curiosità: non si vedevano da
pochi mesi, ma sembravano tutti e due così
CÀMBIATI!

Quando arrivarono alle rovine del **vecchio**
castello della città, Amy tolse da un sacchetto
delle croste di pane con cui attrasse alcuni
bellissimi pavoni, che arrivarono **ingolositi**.

Laurie la osservò con attenzione e si rese
conto di quanto Amy fosse diventata bella
ed elegante, senza avere perso quella vena
BIRICHINA che la rendeva tanto simpatica.

Camminarono fino a raggiungere il punto più alto del castello e lì si sedettero per ammirare il panorama.

Amy fece mille domande a Laurie e più volte nel discorso nominò Jo. A Laurie bastava sentire quel nome perché il suo pensiero volasse LONTANO.

Amy lo osservò un po' **PERPLESSA**: sembrava che Laurie fosse diventato improvvisamente adulto e che avesse pensieri fin troppo seri per la testa.

Tornarono in città contenti, anche se Amy continuava a chiedersi che cosa avesse tanto cambiato il carattere dell'amico.

Si salutarono con la promessa di rivedersi quella sera stessa alla festa.

Amy si preparò per il ballo con più cura del solito. In lei prevaleva sempre lo spirito

dell'ARTISTA: le bastavano pochi nastri e alcuni fiori per ricavare un abito da fiaba!
Desiderava che Laurie la trovasse bella e ne parlasse poi a casa, per rendere orgogliosi i suoi familiari.

Provò ad abbinare colori e fogge fino a che non fu soddisfatta... e il risultato era davvero magnifico!

Quando Laurie arrivò alla festa, la ammirò in lontananza per qualche istante, felice che quella *splendida* dama aspettasse proprio lui.

Il loro ingresso in sala catturò vivi sguardi di ammirazione e non c'era, in effetti, un'altra coppia bella quanto loro!

Appena cominciarono le danze, Amy si sentì LEGGERA e felice come non mai. Danzare era sempre stata la cosa che le piaceva di più!

Anche se aveva promesso il primo ballo a un conte polacco, fu *felice* di regalare quell'onore a Laurie.

Per il resto della serata Amy **volteggiò** di cavaliere in cavaliere, sempre molto richiesta da tutti i gentiluomini della sala.

Laurie la **SEGUIVA** con lo sguardo e tra sé e sé pensava che la piccola Amy si era ormai trasformata in una vera *dama!*

Quando Amy finalmente si sedette, Laurie le fu subito accanto e la sommerse di complimenti.

Finirono la serata danzando sempre insieme e si separarono solo quando, stanchi e felici, videro levarsi le prime luci dell'**ALBA**.

Gemelli monelli!

Meg stava crescendo i suoi gemellini con ogni cura. Era così attenta alle loro esigenze che sempre più spesso TRASCURAVA John.

Per mesi e mesi, John non solo si sentì messo in disparte, ma iniziò anche a vedere Meg sempre più nervosa e i gemellini sempre più viziati. Sentendosi trascurato, accettò sempre più spesso gli inviti a casa del suo amico Scott. Meg all'inizio non ci fece caso, anzi ne fu persino sollevata: almeno John non se ne stava in un angolo a sbadigliare e lei doveva APPARECCHIARE per una persona in meno! Poi però si stupì di trovarsi sempre più spesso a casa da sola e iniziò a lamentarsi: – Forse sto diventando più brutta e meno interessante!

Intanto, John aveva cominciato a interessarsi di politica e stava fuori anche di giorno.

Una mattina la signora March andò a far visita alla figlia e la trovò in LACRIME.

Meg si sfogò e le raccontò che strano pasticcio era diventata la vita della sua famiglia.

La signora March la ascoltò con grande attenzione ma, invece di consolarla, la rimproverò:

– Credo che sia anche colpa tua, Meg. Si possono amare un marito e dei figli nello stesso modo e nello stesso tempo, senza togliere niente a nessuno!

Meg cercò di difendersi, ma le parole della madre le avevano aperto gli OCCHI sul suo comportamento. Certo, lei era affaticata dai bambini, ma anche John lavorava tutto il giorno. Doveva imparare la lezione di quel brutto periodo e RIPARARE all'errore.

Vincendo la paura di sembrare sciocca, Meg cominciò a chiedere a John come andassero le questioni politiche di cui lui si occupava e si SFORZÒ di comprendere anche i dettagli che le sembravano più difficili.

John era *felice* di ricominciare a parlare con sua moglie! Solo Demi e Daisy non si adattavano volentieri a quelle novità: dovevano condividere la mamma con il papà e non erano affatto abituati.

Una sera Meg salì in camera per mettere a dormire i due bimbi e, quando li credette

addormentati, scese in cucina per preparare il ☕ ☕ a John.

Demi, però, a passetti felpati scese le scale e **STRILLÒ**: – Anch'io tè! Anch'io!

Meg tentò di alzarsi, ma John la fermò e disse: – Lascia fare a me, *cara!*

Meg gli sorrise come non gli sorrideva da tanto tempo: com'era bello aiutarsi a vicenda!

Più tardi, mentre i gemelli dormivano *tranquilli,* Meg e John chiacchierarono per ore, felici di sentirsi di nuovo vicini, e la serenità tornò a regnare sulla loro casa.

Che cosa non va, Laurie?

Laurie era arrivato a Nizza con l'intenzione di restarci solo una settimana, ma si fermò un mese.

Lui e Amy erano DIvENTATI inseparabili! Vivevano così vicini che impararono a conoscersi meglio e a scoprirsi cresciuti e felici.

La GIOIA di Laurie, però, era continuamente offuscata dal ricordo di Jo. Amy intuiva che un pensiero lo preoccupava, ma faceva del proprio meglio per distrarlo.

Un POMERIGGIO, Amy rimase in albergo a scrivere *lettere*.

Quando Laurie andò a trovarla, lei gli propose di andare al castello insieme. Laurie accettò di buon grado.

Mentre il **vento** accarezzava gli alberi e diffondeva un profumo delizioso, Amy chiese all'amico: – Quando tornerai dal nonno?

– Presto – rispose lui.

– Lo dici da settimane!

Laurie alzò un **sopracciglio**: – Non ti fa piacere la mia compagnia?

– Certo, che domande! Ma lui ti aspetta e tu sei il solito **PiGRoNe!**

– Voglio solo godermi il sole, ti dispiace?

Amy scherzò: – Pensa che cosa ti direbbe Jo!

Laurie rise, ma in modo un po' forzato e Amy si **RABBUIO**: – Laurie, tu hai qualcosa che mi tieni segreto...

Laurie cercò di cambiare discorso: – Comincia tu a rivelare i tuoi segreti, piuttosto! Viaggiando per l'Europa hai iniziato a realizzare il tuo *CAPOLAVORO?*

Amy si fece seria: – Ho capito che non ho *talento* a sufficienza per un capolavoro. Sono brava a copiare dal vero e ho un certo gusto, sì: ma il talento è un'altra cosa! Quindi, ho deciso: non sarò un'ARTISTA!

Laurie ridacchiò: – Oh, questa sì che è una notizia! E che cosa sarai allora?

– Una brava moglie, se ne avrò la possibilità, in futuro – replicò SERIA la ragazza.

Laurie si fece audace: – Ben detto! Immagino che tu stia pensando a Fred Vaughn.

– A dire il vero non saprei... – bofonchiò Amy, SORRIDENDO con aria furbetta.

– Non vi siete fidanzati?! – ribatté Laurie.

– No e non tocca a me dire che cosa succederà in **FUTURO**. Come sai, è stato richiamato a casa d'urgenza.

– Ma ti piace Fred? – insistette Laurie. – Ti **fidanzeresti** con lui?

Amy sembrò soppesare la sua risposta. Poi sussurrò: – Beh, per tanti aspetti sarebbe un marito ideale...

La riposta lasciò Laurie perplesso e pensieroso. Amy cercò di **stuzzicarlo**: – Ma tu, invece? Che cosa intendi fare? Non mi sembra normale vederti così impigrito. Non è da te!

Laurie **scrollò** le spalle: – Non m'importa.

– Come non t'importa?! Si può sapere che cosa non va?

Laurie sbottò, stizzito: – Beh, se proprio vuoi saperlo... vorrei solo che Jo fosse qui!

Lo aveva detto con tanto rammarico che Amy

restò **INTERDETTA** e, all'improvviso, comprese tutto quel che era successo tra lui e Jo e si pentì di avere toccato quel T A S T O dolente.

I due amici parlarono a lungo e, grazie al conforto affettuoso di Amy, Laurie si sentì finalmente *sereno,* dopo tanto tempo.

Il giorno dopo, Laurie partì per raggiungere il nonno e scrisse a Amy un biglietto di saluti tenero e gentile.

177

Addio, piccola Beth

Poco tempo dopo, la salute di Beth peggiorò all'improvviso.

Era sempre più magra e PALLIDA e arrivò al punto di reggersi in piedi a stento.

Quando non riuscì più ad alzarsi dal letto, la mamma la sistemò nella camera più bella e LUMINOSA della casa.

Tutti quanti, e in particolare Jo, le dedicarono ogni attenzione possibile. Beth, anche costretta a letto, continuava a essere operosa e confezionava piccoli oggetti da regalare agli amici e ai bambini bisognosi.

Quando le sue mani furono troppo stanche per reggere l'ago, tutti le si fecero ancora più vicini, premurosi e attenti a qualsiasi sua richiesta.

Jo non lasciava mai la camera, orgogliosa di essere l'infermiera preferita.

Ogni volta che Beth si sentiva TRISTE, chiedeva a Jo di abbracciarla e di raccontarle qualcosa. Poi appoggiava la testa sulla spalla della sorella e sospirava: – Mi sento più FORTE quando tu mi sei vicina, Jo!

In quei momenti Jo cercava di nascondere l'emozione e la preoccupazione stringendo Beth con tutta la forza che aveva.

Con il passare dei giorni, Jo si trasferì definitivamente nella camera di Beth e vi rimase giorno e notte.

Capitava di tanto in tanto che Beth aprisse gli occhi dopo un **SONNELLINO** e trovasse Jo addormentata, con il capo appoggiato a un bracciolo della poltrona. In quei momenti, Beth SORRIDEVA e accarezzava i capelli scompigliati della sorella.

Com'erano pieni di affetto i loro gesti!

Fu un **INVERNO** lungo e penoso, ma Beth era coraggiosa e la sua forza teneva unita la famiglia.

Tutti coloro ai quali Beth aveva fatto del bene passarono in quei mesi a salutarla.

Ogni volta che accompagnava qualcuno alla porta, Jo pensava: – Beth ha lasciato un seme di bontà in questa persona e questo è il più **GRANDE** regalo possibile!

E se, dopo quel pensiero, le veniva la tentazione di PIANGERE, Jo asciugava subito via

le lacrime e si rimproverava: – Se è coraggiosa Beth che è malata, come posso permetter-
mi di essere debole io che sono sana?
Quando in **PRIMAVERA** sbocciarono le
rose, infine, Beth chiuse gli occhi per l'ultima
volta, mentre Jo le teneva stretta la mano.
Fu un giorno molto triste, ma
illuminato dalla certezza
che non basta la MORTE
per sciogliere il legame che
ci unisce alle persone amate.

Un nuovo amore

Parigi dal nonno, Laurie pensò a lungo a ciò che Amy gli aveva detto e si decise a darsi da fare per migliorare la sua vita e combinare qualcosa di **buono**. Pensò di dedicarsi alla musica e si recò a *Vienna*, dove aveva molti amici musicisti. Cercò di comporre arie e ascoltò molto l'opera, ansioso di dimostrare a tutti che non bastava il rifiuto di una donna a **DEMOLIRE** il suo spirito.

A poco a poco, il pensiero di Jo e del suo carattere **ENERGICO** e allegro invece di procurargli sofferenza iniziò a essergli solo di conforto e sollievo.

Jo era una persona speciale e Laurie non poteva perderla soltanto perché i suoi sentimenti avevano preso una DIREZIONE diversa da quella iniziale.

Che importava se non aveva accettato di fidanzarsi con lui: Jo restava sempre Jo!

Così, Laurie cominciò a GUARDARSI attorno alla ricerca di una ragazza che potesse riaccendere il suo cuore.

Ma più studiava le signorine che lo circondavano, più si SORPRENDEVA a paragonarle con... Amy!

Di ragazze ne conosceva parecchie, di tutti i tipi e di tutte le nazionalità: bionde, more, castane e rosse, alte, basse, pensose o sorridenti, allegre o BIZZARRE... ma niente, ai suoi occhi, reggeva il paragone con l'eleganza e la grazia di Amy.

Lui stesso se ne meravigliò e capì che era arrivato il momento di prendere una **DECISIONE**.

Così scrisse a Jo una lunga lettera, dopo tanto silenzio. I due tornarono finalmente a essere i buoni amici di sempre e questo fece ritrovare a Laurie la serenità perduta.

Dall'altra parte dell'Europa, anche per Amy fu un periodo di **GRANDI** novità.

Per cominciare, Fred Vaughn la raggiunse a Nizza e le fece la tanto attesa proposta di **FIDANZAMENTO.**

Ma le cose non andarono esattamente come previsto...

Con sua stessa sorpresa, infatti, Amy non se la sentì di accettare e spiegò a Fred, in una lettera di CHIARIMENTO, che era affe-

zionata a lui, ma non lo amava come si
dovrebbe amare un fidanzato.

Amy sentiva che qualcosa era cambiato: non
voleva più un matrimonio ricco, desiderava
solo sentirsi amata: erano due cose molto
DIvERSE!

Ora Laurie e Amy si scrivevano spesso. Non
erano più come fratello e sorella e non erano
più nemmeno amici: qualcosa di diverso ini-
ziava a nascere tra loro ed entrambi, un poco
alla volta, ne presero coscienza.

La notizia della MORTE di Beth arrivò proprio in quel periodo.

Laurie RAGGIUNSE subito Amy in Francia.
Avevano deciso, su consiglio della famiglia
March, di non rientrare subito a casa: ormai
era troppo tardi per fare qualcosa di utile.

Soli, lontani da tutti e in terra straniera,

Laurie e Amy condivisero quel profondo dolore aiutandosi a sostenere il peso dei ricordi.

La presenza di Laurie aiutò Amy anche a sopportare la **lontananza** dalla famiglia: aveva vicino una persona alla quale si accorgeva di volere sempre più bene e in maniera sempre più **INTENSA**.

A poco a poco, Amy comprese che per lei stare con Laurie era come essere in una **famiglia** nuova...

Non osava parlarne, ma capiva che Laurie pensava le stesse cose.

Era evidente da come le parlava, dalle attenzioni che le dedicava e dal suo modo di parlare dei progetti **FUTURI**.

Laurie, da parte sua, era tornato come quando era un ragazzino: non stava mai fermo e aveva recuperato **entusiasmo** ed energia.

Un pomeriggio, Amy e Laurie scesero per una gita in barca sul lago. Amy v**o**gava con un remo e Laurie con l'altro.

– Come remiamo bene, insieme! – notò Amy.

Laurie le accarezzò *dolcemente* il viso:

– Vorrei remare con te, sullo stesso battello, per tutta la vita. E tu, Amy, lo vorresti?

Amy SORRISE per la prima volta dopo settimane: – Sì, lo vorrei tanto!

E non ci fu bisogno di altro per rendere ufficiale la nascita di un nuovo am♥re.

Piccole Donne

Di notte, a casa, spesso Jo sognava Beth e al risveglio PIANGEVA di nascosto.

Una mattina, vedendola particolarmente TRISTE, la mamma le suggerì: – Perché non scrivi un po', Jo? Una volta era la tua felicità...

Anche se poco convinta, Jo si rimise alla sua scrivania in soffitta e sfogliò le carte che aveva dimenticato da tanto tempo.

C'erano i racconti che lei e le sue sorelle avevano scritto per il **GIORNALINO** del Circolo Pickwick e tutte le storie che aveva inventato

anni prima, prima che le piccole
donne March crescessero e andassero incontro alla vita.

C'era tutta la sua vita in quelle
c a r t e e Jo non poté fare a meno
di desiderare una sola cosa: scrivere.

Voleva scrivere la storia della sua famiglia,
delle sue amate sorelle, dell'am♥re e dei liti-
gi che le avevano sempre accompagnate e
fatte crescere...

Non passarono cinque minuti, che già Jo
aveva indosso la sua cuffia speciale e aveva
rimesso mano alla penna di gran lena.

In due soli giorni riuscì a scrivere un vero e
proprio romanzo. Era **DIVERTENTE** e
commovente allo stesso tempo e soprattutto...
era la più bella cosa che avesse mai scritto!

Jo intitolò il lavoro *Piccole Donne* e lo spedì a

un editore, che volle immediatamente pubblicarlo e le chiese altri racconti e romanzi.
Proprio in quei giorni *ARRIVÒ* anche la
lettera che annunciava il fidanzamento tra
Amy e Laurie. Jo fu la prima a rallegrarsene e
anche il papà e la mamma non poterono che
SORRIDERE della notizia.

Jo iniziò a pensare al professor Baher e lesse e
rilesse il bigliettino che lui le aveva infilato
nei bagagli: 'Aspettatemi, amica mia. Verrò a
trovarvi. Forse tardi, ma verrò'.

Tutti a casa!

Qualche giorno dopo, al tramonto, Jo era sul divano in soggiorno e guardava pensierosa le **FIAMME** nel caminetto. Era la sera prima del suo venticinquesimo compleanno.

Quasi senza accorgersene, Jo si addormentò o forse cadde solo in dormiveglia. A un tratto, le parve di sognare Laurie. E invece... era Laurie in carne e **OSSA!**

Jo si alzò strillando di gioia e lo abbracciò forte. Laurie ricambiò con **SLANCIO**: – Allora non sei arrabbiata con me!

– Ma che cosa dici! Sono *felicissima* di vederti! Ma dov'è Amy?!

– Da Meg! – rispose Laurie, arrossendo un poco. – Siamo passati di là e non sono più riuscito a portare via mia *moglie*...

Jo lo interruppe: – Hai detto *moglie*?!

Laurie sorrise imbarazzato e le raccontò del loro matrimonio al consolato americano di Parigi. Parlarono a lungo, da veri amici, e fu bellissimo: entrambi si *COMMOSSERO* ricordando Beth e risero degli eventi felici, come ai vecchi tempi. Dopo qualche ora arrivò anche Amy, accompagnata dalla MAMMA, da Meg con i suoi bimbi e dal signor Laurence. Che festa fu! Quando la serata stava per finire, Jo sentì

bussare alla porta d'ingresso. Corse ad aprire ed ebbe un sussulto: sulla soglia c'era... *il professor Baher!*

Il professore cincischiò un po', rigirandosi il cappello tra le mani: – Ehm, forse è un momento sbagliato... sento che avete visite!

Jo non gli permise di aggiungere altro, lo CONDUSSE in soggiorno e lo presentò alla sua famiglia.

Il professor Baher suscitò gran simpatia e nel corso della serata spiegò che si sarebbe fermato in città per alcuni giorni.

Fu il miglior compleanno che Jo avesse mai festeggiato!

Mano nella mano

Da un po' di tempo, Jo aveva l'abitudine di uscire tutte le sere per fare una passeggiata.

In quei giorni condivise spesso le passeggiate con il professor Baher, che era ancora in città per **SBRIGARE** alcuni affari.

Qualche volta, Jo invitava il professore in casa. Hannah e i signori March erano sempre felici di ricevere Friedrich (Jo ormai lo chiamava per nome!) e tenevano sempre da parte qualche BISCOTTO o una fetta di torta apposta per le sue visite.

Nel frattempo, tutti avevano notato che Jo aveva cominciato a **pettinarsi** tre volte al giorno, a cambiarsi d'abito più spesso e a passare fugacemente davanti allo specchio non appena suonavano alla porta.

Inoltre, canticchiava motivetti allegri mentre faceva le pulizie e anche mentre scriveva.

D'improvviso però, dopo settimane di incontri quotidiani, il professor Baher sparì per tre giorni, senza dare alcuna spiegazione a Jo.

L'umore di Jo cambiò in un attimo: divenne tesa come una corda di violino, nervosa come una scarica elettrica e brontolona come una nube gonfia di PIOGGIA!

Stanca di aspettare di incontrarlo, il quarto pomeriggio Jo decise di spingersi a cercarlo nel cuore della città, con il pretesto di dover fare delle spese in merceria.

Il cielo minacciava pioggia, ma Jo non ci fece caso: indossò il cappello *migliore* che aveva, si mise la gonna più bella, un paio di stivaletti e uscì di casa.

CAMMINÒ lungo le vie guardando i negozi, tornando più spesso nelle strade dove era più probabile incontrare il professore.

Fingeva di interessarsi alle vetrine, ma i suoi **OCCHI** mulinavano attorno alla ricerca della cara sagoma del suo Friedrich.

Era in **giro** da un paio d'ore, quando sentì cadere le prime gocce di un acquazzone.

A due passi dal punto in cui si trovava c'era un magazzino gestito da amici del professore, ma Jo decise di non entrarci.

Ormai triste, **ARRABBIATA** e inzuppata, Jo si ostinò ad allungare il passo mentre la pioggia la sferzava.

Arrancò tra i passanti frettolosi, tenendo la testa bassa, fino a che qualcosa attirò la sua attenzione. Un ombrello azzurro e un po' malmesso avanzava affrettato tra gli altri ombrelli aperti, tutti scuri.

Jo voltò il capo quando l'uomo che reggeva l'ombrello celeste le fu a fianco e le disse:
– Ero sicuro che questa donna coraggiosa e senza riparo fosse Jo!
Che sorpresa! Era proprio Friedrich!
Jo rimase senza parole. Era come se, nel mezzo del temporale, per lei sola fosse riapparso il **sole**. Jo si riscosse a fatica e mormorò: – Oh, sei tu! Non ti ho più visto...
– Sono stato impegnato a causa di alcuni affari **importanti** – si scusò lui. – Alcuni amici molto generosi hanno trovato per me una scuola in cui potrei insegnare come face-

vo in Germania. Sarei finalmente in grado di costruirmi una vita in questa **TERRA!**

Gli occhi di Jo brillarono di **GIOIA**: – Che notizia fantastica, Friedrich!

Il professore abbassò gli **OCCHI**: – Purtroppo però devo trasferirmi in un posto molto lontano... nell'Ovest!

L'entusiasmo di Jo si sgonfiò come un palloncino **bucato**.

Si fissarono a lungo. Erano entrambi così **emozionati** da non riuscire a parlare.

Tutti e due erano bloccati dai loro caratteri burberi e sbrigativi, di quelli che fanno fatica ad aprirsi e a confidarsi.

Quanto sarebbe stato facile se si fossero detti apertamente quel che pensavano!

Invece, continuarono a far finta di niente e a fare commissioni, con i **CUORI** pesanti come macigni.

Jo cercò di mostrarsi *indifferente* e disinvolta, ma era così agitata e avvilita che in merceria rovesciò il vassoio degli SPILLI, comprò del pizzo invece dei nastri che le servivano e si sbagliò a prendere il resto.

Il professore la guardava **ARROSSIRE** e aveva voglia di abbracciarla.

Poi fu Jo ad accompagnare lui, che voleva prendere qualcosa da regalare ai bambini di Meg.

Entrarono in un negozio e Jo guardò Baher mentre si riempiva le tasche di dolcetti e si sentì il cuore **scoppiare** di tenerezza.

Quando furono di nuovo per strada, carichi di pacchetti e stretti sotto l'ombrello azzurro, Jo chiese: – Verrai a salutarci, vero?

– Puoi starne certa, non partirei mai senza avere ringraziato la tua famiglia per il **CALORE** con cui mi ha accolto. I tuoi mi hanno fatto sentire a casa!

A Jo **pizzicavano** il naso e gli occhi, ma per non farlo notare **sbatteva** le palpebre e teneva la testa girata dall'altra parte.

Ormai era ora di rientrare e il professore accompagnò Jo alla fermata dell'omnibus.

Jo non riusciva a scacciare il pensiero che forse quella era l'ultima delle loro passeggiate insieme. Le **lacrime** le scivolarono da sotto le palpebre e cominciarono a **SCORRERLE** piano lungo le guance.

Il professore se ne accorse subito: – Perché piangi, amica mia?

Jo avrebbe potuto trovare una scusa, ma scelse di essere sincera: – Perché tu vai via e io...

Lo sguardo del professore si ILLUMINÒ:
– Che bello sentirti dire questo! Io sono venuto solo per capire se potevo sperare nel tuo amore, ma non riuscivo a decifrare i tuoi sentimenti. Allora... davvero c'è un po' di posto per me nel tuo cuore?
Jo gli SALTÒ al collo felice ed esclamò: – Ce n'è eccome!
Si abbracciarono e risero, imbarazzati per l'improvvisa felicità.
Baher volle essere ONESTO fino in fondo:
– Io ho ben poco da offrire, Jo! Le mie mani sono vuote...
Jo mise una mano nella sua, gli SORRISE e rispose: – Ora non lo sono più!
Continuava a piovere, ma loro sembravano non accorgersene: si AVVIARONO a piedi verso casa, riuscendo a tenersi stretti mano

nella mano, anche se dovevano portare pacchetti e pacchettini oltre all'ombrello.

Quando finalmente la PIOGGIA cessò, si alzò una fitta **NEBBIA**, ma nemmeno quella li convinse a salire su un mezzo pubblico: volevano solo stare insieme, l'uno a fianco all'altra, e parlare del loro **FUTURO**.

Ancora per qualche tempo avrebbero vissuto lontani, per guadagnare i soldi che sarebbero serviti per cominciare a vivere insieme.

Ma la **lontananza** non aveva più importanza, ora che si erano finalmente dichiarati il loro amore!

Tempo di raccolta!

ra passato quasi un anno dal **FIDANZAMENTO** di Jo con il professor Baher, quando zia March morì. La sorpresa fu che la **vecchia** zia lasciò in eredità la proprietà di Plumfield all'ultima persona che si aspettava di riceverla... Jo! Quando Jo lo annunciò a Laurie, lui commentò: – Guadagnerai un sacco di **soldi** vendendo quella villa! Ha anche un bel **parco!** Ma Jo scosse la testa, convinta:

– Venderla?! Non ci penso nemmeno! Andrò a viverci, invece! E sai che cosa ti dico? Che secondo me Plumfield potrebbe diventare una **bellissima** scuola...

Laurie sorrise: non c'era proprio niente da fare, Jo era un vulcano di idee!

Jo spiegò: – Io e Friedrich ne abbiamo parlato a lungo e abbiamo deciso di fondare un collegio per ragazzi poveri!

Poche settimane più tardi, dunque, anche Jo si **sposò** e si trasferì a Plumfield.

Nei mesi che seguirono Meg, Amy, Laurie e tutta la famiglia la aiutarono a realizzare il suo progetto e in breve tempo il collegio iniziò a ospitare i primi piccoli studenti.

Un anno dopo la fondazione della scuola, Jo organizzò una **GRANDE** festa per la raccolta delle mele. Arrivarono anche Meg con John e i gemelli e Amy con Laurie e la loro bellissima **bambina** appena nata.

La signora March, in piedi accanto al marito, guardò orgogliosa le sue piccole donne con le loro nuove famiglie e si **commosse**: ciascuna aveva trovato la propria **STRADA**, che percorreva con serenità e con coraggio. Perché così si affronta la *vita!*

Louisa May Alcott

Louisa May Alcott nacque nel 1832 a Germantown (attualmente parte della città di Philadephia) in Pennsylvania. Suo padre, Amos Bronson Alcott, era un filosofo e un educatore; sua madre, Abigail May, un'attivista per i diritti sociali delle donne. Seconda di quattro figlie, Louisa si interessò alla letteratura fin da giovanissima e la sua opera più famosa, la saga di *Piccole Donne*, prende spunto dalle vicende autobiografiche della sua infanzia con le tre sorelle: Anna, Elizabeth e May.

Cresciuta in un ambiente ricco di stimoli intellettuali e letterari, fin dall'età di quindici anni la Alcott dovette però adattarsi a svolgere molti lavori, a causa delle precarie condizioni economiche della famiglia. Fece così l'insegnante, la sarta e la governante, esperienze che in seguito le ispirarono opere come *Lavoro: storia di un'esperienza* (1873).

L'attività letteraria fu comunque sempre al centro dei suoi pensieri e, grazie alla capacità di dare vita a personaggi femminili realistici e vibranti, divenne celebre con la pubblicazione di *Piccole Donne* (1868), seguita poi da *Piccole donne Crescono* (1869), *Piccoli Uomini* (1871) e *I Ragazzi di Jo* (1886). Raggiunta una grande popolarità, Louisa continuò a scrivere fino alla sua morte, avvenuta nel 1888 nei pressi di Boston, in Massachusetts.

Indice

Geronimo Stilton

- Terzo Viaggio nel Regno della Fantasia
- Quarto Viaggio nel Regno della Fantasia
- Quinto Viaggio nel Regno della Fantasia
- Viaggio nel Tempo
- Viaggio nel Tempo - 2
- Il Segreto del Coraggio
- La Grande Invasione di Topazia
- Le avventure di Ulisse

LIBRI SPECIALI

È Natale, Stilton!
Halloween... che fifa felina!
Viaggiare... che passione!
Inseguimento a New York
Mondo Roditore
Mondo Roditore - Giochi & Feste
Più che amiche... sorelle!

SEGRETI & SEGRETI

1. La vera storia di Geronimo Stilton
2. La vera storia della Famiglia Stilton
3. I segreti di Topazia
4. Vita segreta di Tea Stilton

GRANDI STORIE

- L'Isola del Tesoro
- Il Giro del Mondo in 80 Giorni
- La Spada nella Roccia

- Piccole donne
- Il Richiamo della Foresta
- Robin Hood
- I tre moschettieri
- Il libro della giungla
- Heidi
- Ventimila leghe sotto i mari
- Peter Pan
- Piccole donne crescono

Cinque minuti prima di dormire
Buonanotte Topini!
Le grandi fiabe classiche
Le grandi fiabe classiche 2

AVVENTURE NEL TEMPO

- Alla scoperta dell'America
- Il Segreto della Sfinge
- La truffa del Colosseo
- Sulle tracce di Marco Polo
- La grande Era Glaciale
- Chi ha rubato La Gioconda?
- Dinosauri in azione!

SUPEREROI

1. I difensori di Muskrat City
2. L'invasione dei mostri giganti
3. L'assalto dei grillitalpa
4. Supersquitt contro i terribili tre

EDUCATIONAL

- Dinosauri
- Il mio primo dizionario di Inglese (con CD)

Tea Stilton

Geronimo Stilton